Bon courage –
parlez français!

Published in 2005 by Caxton Editions
20 Bloomsbury Street
London WC1B 3JH
a member of the Caxton Publishing Group
under Licence from Carrousel MS.

© 2002 Carrousel MS. Paris

Photos: Corel professional Photos, PhotoDisc, project photos

Title: French CD Language Course
ISBN: 1 84067 448 2

A word in advance to the learner

This audio course will help you in various ways to learn French, improve your French or to work on your existing skills more intensively, enabling the learner to master situations in French. This course combines both listening and speaking and, should you wish, reading and writing. The audio language course can be used in various ways, depending on how much French you can already speak and how you wish to learn.

At the start of each chapter you will hear a jingle which will make you aware of the new chapter. Thus you have the opportunity to prepare yourself for the new chapter and to prepare yourself for the following texts.

You then hear the expressions and sentences which you will often need and which are of importance in the coming chapter. These expressions do not form a dialogue but are there to help you to ease into the chapter. You will need these ex-pressions in French and they are the main expressions used in French. There then follows a dialogue in each chapter in which you will hear native French speakers in real situations. In this dialogue you will hear the expressions used which you have already heard. Listen to the dialogue as often as you wish to help you improve your vocabulary, speech and pronunciation and repeat the dialogue by returning to the start of the dialogue on the CD and repeat sentence for sentence. Use the pause control on your CD player for this. Following the dialogue there are exercises in each chapter to practise the aspects of French just learned. Each time there is the necessary help to enable you to complete the exercises There are instructions and examples preceding each exercise so that you hear how the exercise is to be done.

The second part of the course includes the additional grammar explanations which are deliberately separate from the dialogues so that you can concentrate exclusively on the material you are studying. Thus you can either learn to speak and use the language or you can concentrate on improving your basic knowledge of French grammar at another time.

In a further part of the course book you can find information about France. These are designed as short lectures and as preparation for a visit to France. This information is designed to help you deal with the unique cultural situations, to help you understand other ways of communication and to help you understand France and her ways.

In the last part of the course book you can find a vocabulary list. This can help you in various ways: to look up words whilst learning, to improve your skills at the end of the course or also as vocabulary training before you actually begin speaking French and wish to have enough of range of vocabulary to fall back on. In the course book you will find all the important expressions, dialogues and exercises as well as additional grammar explanations and typically French texts and vocabulary. The course book also contains tips and help for all French learners and the problems often incurred in France and in French. You will also come across English translations which are deliberately very close to the French text, and these are there to help you understand the French, even though grammatically they may not be so stylish in English.

The course can of course be used in different ways. The chapters can be used as you please. For example, should you wish to learn French whilst driving in the car, then you only need to listen to the dialogues on the CDs and complete the exercises verbally. You can repeat the dialogue in either verbal or written form, de-pending on where you are. On the one hand you may just take a look in the book at home when you wish to check up on information, or you may want to complete all the exercises in written form. The same can be done with the vocabulary lists – it all depends on how intensively you want to learn French.

If you prefer, however, to read everything through in peace and quiet before listening or speaking, then read the dialogues and exercises, the grammar tips and the tips about the country and then switch your CD player on. If you wish to read the exercises or even complete them before listening to the CD, then first cover the answers with a piece of paper. Go down the page with the paper and check the answer when you have done it. If you wish to concentrate on speaking, then go through the exercise as a listen and repeat exercise: when there is a gap on the CD for an answer, repeat the question. When the answer is spoken on the CD, repeat this also. After you have completed the exercise in this way you can try to give the right answer yourself.

There is no absolutely 'right' system for listening and repeating, reading, listening and speaking or for reading and writing. Complete the course how you wish and repeat as often as necessary. And of course you can take as much time as you wish. At the end of this course you will have recognised the points where English speakers have problems with French in everyday situations. And you will have practised enough to feel more secure when you practise your French in real life situations.

Additional information for those interested in didactics

This course is the represents the results of the newer findings in foreign language didactics in an audio form. The dialogues which are consistently in authentic French language comprise a rich language surrounding in which one can easily find one's way around in real foreign language situations. Right from the beginning you will learn to 'hear' the most important things for communication. Through the continual repetition of phrases which occur regularly to keep a conversation going you will pick up these phrases.

Contents

LEÇON 1
Bienvenue en France!

CD1 In this lesson you will learn:

TOP 1

- how to greet and to introduce yourself and to greet or introduce somebody respectively;
- how to take leave;
- how to describe your place of birth or residence;
- how to spell a name or place in French

Learn the following expressions:

Bienvenue en France!	**Welcome to France!**
Bonjour, Sandra, comment allez-vous?	**Good morning/afternoon Sandra, How are you?**
Bien merci et vous? Très bien merci.	**Fine thanks, and yourself? Very well, thanks.**
Salut, comment ça va? Pas trop mal et toi? Bien merci.	**Hello, how are you? Not too bad, and yourself? Fine thanks.**
Sandra je vous présente Monsieur Lamarcquet.	**Sandra, may I introduce Monsieur Lamarcquet?**
Michel, je te présente Madame Reiter	**Michel, may I introduce you to Madame Reiter?**
Enchanté !	**Delighted to meet you.**
Vous vous appelez comment? Je m'appelle ... Ça s'écrit comment?	**What is your name? My name's ... How do you spell that?**
Vous êtes de Berlin? Non, je suis de ...	**You are from Berlin? No, I'm from ...**
C'est où exactement? Ça se trouve où?	**Where is that exactly? Where is it?**
Bon séjour en France.	**I wish you a pleasant stay in France.**
Au revoir monsieur/madame ! Salut Michel! A bientôt! A tout à l'heure!	**Goodbye! Bye Michel! See you soon! Bye for now!**

CD1 Dialogue

Contents:
Sandra is on a business trip to France. She arrives in Paris at the Roissy-Charles de Gaulle Airport. Her colleague Bernard is there to meet her and welcome her. By coincidence they meet Michel, a friend (and neighbour) of Bernard's. Bernard introduces Sandra, and they talk about their home towns.

Bernard
Bonjour, Sandra. Bienvenue
à Paris! Comment allez-vous?

**Good morning, Sandra. Welcome to Paris!
How are you?**

Sandra
Très bien, merci! Et vous?

Very well, thanks. And yourself?

Bernard
Bien, merci. Oh, salut Michel!
Comment ça va?

**Fine, thanks. Oh, hello Michel!
How are you?**

Michel
Pas mal, et toi?

Not bad, and yourself?

Bernard
Bien, merci. A propos, tu connais
Mme Reiter?

**Fine, thanks. By the way, do you know
Mrs. Reiter?**

Michel
Non, je ne crois pas!

No, I don't think so.

Bernard
Sandra, je vous présente
Michel Lamarcquet, mon voisin.

**Sandra, may I introduce you to Michel
Lamarcquet, my neighbour?**

Sandra
Enchantée, monsieur!

Delighted to meet you.

Michel
Enchanté, madame!

Delighted to meet you.

Bernard
Sandra est ma collègue allemande.
Elle est ici à Paris pour la
congrès annuelle de la société.

**Sandra is my German colleague.
She is here for our company's annual
conference in Paris.**

1 Dialogue

Michel
Excusez-moi, monsieur, j'ai mal compris votre nom.
Vous vous appelez comment?

Excuse me, I didn't catch your name properly.
What is your name?

Sandra
Je m'appelle Reiter, Sandra Reiter.

My name's Reiter, Sandra Reiter.

Michel
Ca s'écrit comment: R.a.i.t.e.u.r.?

How do you spell that? R.A.I.T.E.U.R.?

Sandra
Non, ça s'écrit R.e.i.t.e.r.
Pardon, vous vous appelez?

No, it's spelt R.E.I.T.E.R.
Excuse me, but what was your name again

Michel
Je m'appelle Michel Lamarcquet.
Vous êtes de Berlin?

My name's Michel Lamarcquet.
Do you come from Berlin?

Sandra
Non, je ne suis pas de Berlin.
Je viens du sud de l'Allemagne, de Murnau.

No, I'm not from Berlin.
I'm from Southern Germany, from Murnau.

Michel
Murnau, c'est où exactement?

Murnau, where is that exactly?

Sandra
C'est près de Munich, en Bavière.

It is close to Munich, in Bavaria.

Michel
Ah, c'est une jolie région, idéale pour le ski et la bière!

Ah, that is a beautiful area, ideal for skiing and drinking beer!

Sandra
C'est vrai! Vous êtes de Paris?

That's true. Are you from Paris?

Michel
Non, je viens du nord de la France, de Honfleur.

No, I'm from the North of France, from Honfleur.

Sandra
Honfleur, c'est près de Calais?

Honfleur, isn't that close to Calais?

Michel
Non, ce n'est pas près de Calais.
C'est près de Rouen, en Normandie.
Vous connaissez la Normandie?

No, it isn't close to Calais.
It is close to Rouen, in Normandy.
Do you know Normandy?

Sandra
Oui, je connais un tout petit peu
la Normandie. Une collègue
française de mon mari habite
à Trouville. Mais vous travaillez
maintenant à Paris?

Yes, I know Normandy a little.
A French colleague of my husband's
lives in Trouville.
But you now work in Paris?

Michel
Oui, et j'habite à Chatou. Bernard
est mon voisin. Oh, excusez-moi,
je dois partir: l'avion de mes
collègues américains est là.
Au revoir, madame; bon séjour à
Paris, et à bientôt peut-être!

Yes, and I live in Chatou. Bernard
is my neighbour. Oh, excuse me,
I have to go: the plane with my
American colleagues is here.
Goodbye, and have a great time
in Paris, and maybe we will see
each other later.

Sandra
Au revoir, monsieur!

Goodbye!

Bernard
Salut, Michel! Bonne journée!

Bye, Michel! Have a good day!

Michel
Salut! A tout à l'heure peut-être!

Bye! Maybe see you later!

EXERCICES

Instructions:
You will hear a question or a request which you should answer after the tone in the pause.

You will then hear the correct answer.

You can then compare your answer with the correct answer. There is an example for each exercise.

CD1 **Exercice 1**
TOP 3 **Take on the role of Sandra and answer the following questions.**

E **Example:**

Voix: **Vous vous appelez Sandra?**

Vous: **Oui, je m'appelle Sandra.**

Voix: **Oui, je m'appelle Sandra.**

Vous: **Oui, je m'appelle Sandra.**

A vous – and now you:

1. Vous vous appelez Sandra Reiter?   Is your name Sandra Reiter?
   Oui, je m'appelle Sandra Reiter.

2. Vous êtes à Paris pour   Are you here for a conference in
   une conférence?   Paris?
   Oui, je suis à Paris pour
   une conférence.

3. Vous êtes du nord de l'Allemagne?   Are you from North Germany?
   Non, je ne suis pas du nord de
   l'Allemagne.

4. Vous êtes du sud de l'Allemagne?   Are you from South Germany?
   Oui, je suis du sud de l'Allemagne.

5. Vous êtes de Stuttgart?   Are you from Stuttgart?
   Non, je ne suis pas de Stuttgart,
   je suis de Murnau.

6. Murnau, c'est en Bavière?   Nuremberg, is that in Bavaria?
   Oui, c'est en Bavière.

7. Murnau, c'est près de Munich?   Is Nuremberg close to Munich?
   Oui, c'est près de Munich.

CD1 Exercice 2

TOP 4 Take on the role of Sandra. Ask Michel Lamarcquet a few questions!

E **Example:**

Voix: **Je m'appelle Michel Lamarcquet.**

Vous: **Vous vous appelez comment?**

Voix: **Vous vous appelez comment?**

Vous: **Vous vous appelez comment?**

 A vous — and now you:

1. Je m'appelle Michel Lamarcquet.   My name's Michel Lamarcquet.
   Vous vous appelez comment?

2. Lamarcquet, ça s'écrit   Lamarcquet, that's spelt
   L.a.m.a.r.c.q.u.e.t.   L.a.m.a.r.c.q.u.e.t.
   Larmarcquet, ça s'écrit comment?

3. Non, je ne suis pas de Paris.   No, I do not come from Paris.
   Vous êtes de Paris?

4. Oui, je viens du nord de la   Yes, I come from the North of France
   France, de Honfleur.   from Honfleur.
   Vous venez du nord de la France?

5. Non, Honfleur, ce n'est pas près   No, Honfleur isn't close to
   de Calais, c'est près de Rouen.   Calais, it is close to Rouen.
   Honfleur, c'est près de Calais?

6. Oui, Honfleur, c'est en Normandie. Yes, Honfleur is in Normandy.
   Honfleur, c'est en Normandie ?

7. Oui, j' habite à Chatou.   Yes, I live in Chatou.
   Vous habitez à Chatou

CD1 Exercice 3

TOP 5 **First listen to how the letters of the alphabet are spoken in French. Repeat them.**

[Notice that in some cases the vowels a, e, i, o, u may take one of the following three accents:]
aigu accent: 'é' / grave accent: 'è' / circonflexe accent: 'ê'.
There is also the cédille : 'ç', a tréma: '…' and a trait d'union: '…-…'

 Example:

Voix: **Gasché, ça s'écrit comment?**

Vous: **Gasché, ça s'écrit G…………**

Voix: **Gasché, ça s'écrit G…………**

Vous: **Gasché, ça s'écrit G…………**

 A vous – and now you:

1. Gasché, ça s'écrit comment?   Gasché, how do you spell that?
   Gasché, ça s'écrit G…

2. Lemaître, ça s'écrit comment?   Lemaître, how do you spell that?
   Lemaître, ça s'écrit L …

3. Duquesnoy, ça s'écrit comment?   Duquesnoy, how do you spell that?
   Duquesnoy, ça s'écrit D…

4. Westrelin, ça s'écrit comment?   Westrelin, how do you spell that?
   Westrelin, ça s'écrit W…

5. Quejotte, ça s'écrit comment?   Quejotte, how do you spell that?
   Quejotte, ça s'écrit Q…

6. Besançon, ça s'écrit comment?   Besançon, how do you spell that?
   Besançon, ça s'écrit B…

7. Blanc-Mesnil, ça s'écrit comment?   Blanc-Mesnil, how do you spell that?
   Blanc-Mesnil, ça s'écrit B…

GRAMMAIRE

The Definite Article - L'article défini

Unlike the English language there are two genders in the French grammar: **masculine** and **feminine**.

Both articles in the singular are:

    le (masculine)   and   **la (feminine)**
    le voisin   **la** région
    le nord   **la** société

If a definite article is proceeded by a vowel or a silent h, it is shortened to l'.

    l'Allemand   **l'**Allemagne
    l'aéroport   **l'**idée

The plural form of the definite article for both the masculine and the feminine is **les**. The noun takes an **-s**

    les voisins   **les** régions
    les aéroports   **les** idées

The **-s** in **les** is only spoken when the following noun begins with a vowel or a silent h. It is then pronounced as in Susanna and joined to the next vowel.

    les_Allemands   **les**_idées   **les**_hôtels

	masculine		**feminine**
singular	*le*	*l'*	*la*
plural		*les*	
singular	**le** voisin		**la** région
	le ski		**la** société
	l' hôtel		**l'**idée
plural	**les** voisins		**les** régions
	les hôtels		

Example:

Sandra vient d'Allemagne pour la conférence de la société.
Sandra comes to the company meeting from Germany.

Michel est le voisin de Bernard.
Michel is Benard's neighbour.

L'aéroport Charles de Gaulle est à Roissy.
The Charles de Gaulle Airport is in Roissy.

The Indefinite Article– L'article indéfini

The singular form of the indefinite article is un for the indefinite masculine une for the feminine. As in English, in French there is a plural form of the indefinite article, it is the same for both genders and is **des**.

un voisin **une** bière **des** collègues

Nouns also possess a plural form: the ending -s.
Before a noun beginning with a vowel or a silent h the **un** ans the -s in **des** is spoken and this is connected to the next vowel as in the **-n-** in **une**.

	masculine		feminine
singular	**un**		**une**
plural		**des**	
	un avion	**des** avions	**une** société
	un voisin	**des** régions	**une** région
	un_hôtel	**des**_idées	**une**_ idée

The Conjugation of Adjectives:

The adjective is conjugated according to the number and gender it describes ln the **masculine** the adjective ends in the plural form in –s.

un petit hôtel
des petits_hôtels

If it is a **feminine** noun, the adjective ends in -e in the singular and in the plural
an –s is added
la collègue allemand**e**
les collègues allemand**es**

(The word "***collègue***" is both **masculine** and **feminine**; only the article
defines whether it is a male or a female colleague. In the plural it can only be
ascertain d from the context.)
le collègue = the male colleague   **la** collègue = the female colleague
les collègues = the male colleagues   **les** collègues = the female colleagues

The Position of the Adjective

As in English the adjective is either directly before the noun (attribute adjective)
or is bound to it via a verb, mainly être, (predicate adjective).

 Example:

une <u>jolie</u> région; **la** bière allemand**e** (attribute adjective)
Cette région **est** <u>idéale</u> pour le ski. (predicate adjective)

Attention: unlike English, in French an adjective can come before or after the
noun it describes.

Fewer adjectives come before the noun – mostly one-syllable ones – such as:
grand, petit, joli, beau, bon;
un <u>petit</u> hôtel
une <u>grande</u> maison

After the noun come most of the polysyllabic adjectives and all the colour
adjectives. This group includes most of the adjectives.
un livre <u>intéressant</u>   an interesting book
une collègue <u>anglaise</u>   a british colleague
une veste <u>bleue</u>   a blue shirt

Two adjectives can describe the same noun:
un <u>petit</u> hôtel <u>confortable</u>   **une** <u>grande</u> veste <u>bleue</u>

The Verb "être" – Le verbe "être"

The verb "être" is conjugated thus in the present tense (présent):

Infinitive:	être	to be
je	**suis**	am
tu	**es**	are
il/elle/on	**est**	is
nous	**sommes**	are
vous	**êtes**	are
ils/elles	**sont**	are

The subject pronouns emphasize again that there are two genders in the French language: **il** (he), **ils** (they) for the masculine form and **elle** (she), **elles** (they) for the feminine. There is no neuter form in French.

"**Ils**" describes both the plural forms of the masculine and the feminine nouns:
Sandra et Bernard sont à l'aéroport.
Ils sont à l'aéroport.
They are at the airport.

"**Elles**" however describes only feminine nouns:
Sandra et Julie sont à l'aéroport.
Elles sont à l'aéroport.
They are at the airport.

The second person plural is not just the second person plural, but also the formal address form
Vous êtes de Paris?
Are you from Paris?

The Other Verbs in the Lesson — Les autres verbes de la leçon

j'habite	I live	vous habitez	you live
je m'appelle	I am called	vous vous appelez	you are called
je travaille	I work	vous travaillez	you work
excusez-moi	excuse me		

These verbs belong to the regular verbs ending in -er, they are introduced in the third lesson.

The other verbs that you have learned are irregular; here are two examples:

Je connais	l know	vous connaissez	you know
Je viens	l come	vous venez	you come

Negation – la négation

ln French there are two parts to the negative, **ne** and **pas**, they surround the conjugated verb.

Je **ne suis pas** de Paris.
I'm not from Paris.

The negative word **ne** is apostrophized when the verb begins with a vowel or a silent h

Michel **n'est pas** le voisin de Sandra.
Michel is not Sandra's neighbour.

The Question – La question

The easiest way is to raise the voice at the end of the sentence:

Vous connaissez la Normandie? Murnau, c'est où exactement?

Sometimes the question word is at the end of the sentence, and again the voice is raised :

Vous vous appelez comment?

FRANCE PRATIQUE

When speaking to somebody in France whom you do not know or know well, it is more polite to address them as "monsieur" / "madame"/ "mademoiselle" (used for young women/girls) and to use the more formal Vous form : "Vous êtes de Paris?".

With children, young people, the family or friends one uses the more informal Tu form.

To be absolutely sure, wait until the French use the informal form with you

It is also usual to shake hands in France (with colleagues / acquaintances) or to kiss the cheek – 1, 2, 3 or even 4 times, depending upon which region they come from in France – (children /young people/ good friends/ family)!

Formal		Informal	
Bonjour, monsieur! madame! mademoiselle!	Good morning!	Salut!	Hello!
Comment allez-vous?	How are you?	Comment ça va? How are you?	

After 6pm one uses "bonsoir" instead of "bonjour" as a greeting.

"Au revoir" is often used instead as a form of leave taking: Au revoir, madame!

"Salut" is very informal: "Salut, Michel!" can mean both "hello" and "goodbye"!!!

EXTRA PRATIQUE

Imagine it is the first time, that you and your colleague, Mr. Delarouet, visit Lyon. The following phrases have got mixed up. Put them in the correct order.

Start with: "Monsieur Delarouet, je vous présente Monsieur ..."

1. Delarouet, Philippe Delarouet.

2. Non, je suis de Mougins.

3. Enchanté, monsieur! Bienvenue à Lyon! Vous êtes de Munich?

4. C'est au nord de l'Allemagne; vous êtes de Lyon?

5. Non, je ne suis pas de Munich; je viens de Minden; vous connaissez?

6. Mougins, c'est où exactement?

7. Nice? Oh, c'est une jolie région! Excusez-moi, j'ai mal compris votre nom; c'est Monsieur...

8 Non je ne connais pas; ça se trouve où?

9. Enchanté, monsieur!

10. C'est au sud de la France; c'est près de Nice.

11. Ça s'écrit comment?

12. D'accord, à tout à l'heure!

13. Ça s'écrit D.e.l.a.r.o.u.e.t. Oh, excusez-moi, mon collègue américain est là! A tout à l'heure !

Solution : 9 – 3 – 5 – 8 – 4 – 2 – 6 – 10 – 7 – 1 – 11 – 13 – 12

Leçon 2

Bonjour, vous désirez?

CD1 **In this lesson you will learn how to:**

TOP 7

- order drinks in a café;
- ask about marital status and give the appropriate responses;
- ask and reply about jobs

Learn the following expressions:

Volontiers!	Of course!
Qu'est-ce que vous prenez: un café, un thé, une bière?	What would you like: coffee, tea, beer?
Qu'est-ce que vous avez comme jus de fruits?	Which fruit juices do you have?
Le jus de raisin, c'est pour vous?	The grape juice is for you?
Qu'est-ce que vous faites dans la vie? Je suis secrétaire, informaticien ...	What do you do? I'm a secretary, computer specialist ...
Vous travaillez dans quelle branche? Je travaille dans l'informatique.	Which branch do you work In? I work in the computer branch.
Vous parlez anglais? Je me débrouille en anglais.	Do you speak English? I can get by in English.
Vous avez des enfants? Oui, j'ai un fils et une fille.	Do you have any children? Yes, I have a son and a daughter.
Votre fille a quel âge? Elle a quatre ans.	How old is your daughter? She's 4 years old.
Vous avez de la famille? Oui, je suis marié(e). Non, je suis célibataire.	Do you have any family? Yes, I am married. No, I am single.

D1 Dialogue

Contents:
Sandra just happens to meet Michel (Bernard's friend) in front of a café in the city. Michel invites Sandra for a coffee. They order something to drink. They talk about work and family. Sandra works for a company which produces medical instruments. Michel is an information specialist.

Devant un café

Michel
Bonjour, madame. Comment allez-vous?   Good morning! How are you?

Sandra
Bien, merci. Et vous?   Fine, thanks. And yourself?

Michel
Ça va. Vous avez le temps de   I'm fine thank you. Do you have
prendre un café avec moi?   time for a coffee with me?

Sandra
Volontiers   Of course

Waiter
Bonjour, vous désirez?   Good morning, what can I bring you?

Michel
Bonjour. Un instant, s'il vous plaît!   Good morning. Wait a moment please!
Qu'est-ce que vous prenez: un café,   What would you like: coffee, tea,
un thé, un jus de fruits ou ...?   fruit juice or ...?

Sandra
Qu'est-ce que vous avez comme   What fruit juices do you have?
jus de fruits?

Waiter
J'ai de l'orange, pomme, ananas,   We have orange, apple, pineapple,
raisin, tomate.   grape and tomato.

Sandra
Je prends un jus de raisin.   I'll have a grape juice.

Waiter
Un jus de raisin, et pour vous, monsieur?   A grape juice. And for you, sir?

Michel
Une bière, une pression, s'il vous plaît. | A draught beer, please. Sandra, Sandra,
Vous avez faim, vous prenez un | are you hungry, would you care
sandwich? | for a sandwich?

Sandra
Non merci, un jus de fruits, c'est tout! | No, thank you, just a juice!

Waiter
Alors, un jus de fruits pour madame | So, a fruit juice for the lady
et une pression pour monsieur! | and a draught beer for sir!

Michel
Vous êtes à Paris pour le travail? | Are you in Paris on business?

Sandra
Oui, c'est ça. Je travaille avec Bernard | Yes, precisely. I work for the same
dans la même société d'instruments | medical products company as Bernard.
médicaux et nous avons notre confé- | and we are having our annual
rence annuelle. Et vous, qu'est-ce que | conference. What about you,
vous faites comme profession? | what do you do?

Michel
Je travaille dans l'informatique | I work in the computer branch for an
pour une société américaine. | American company.

Sandra
Alors vous parlez anglais? | So you can speak English?

Michel
Oui, je parle anglais. Je me débrouille | Yes, I can speak English. I can get by
bien en anglais, mais malheureusement | very well in English, but unfortunately, I
je ne parle pas un mot d'allemand! | don't speak a word of German.
Vous êtes ici avec votre famille? | Are you here with your family?

Sandra
Non, mon mari est à Manchester en | No, my husband is in Manchester,
Angleterre pour un congrès et nos | England for a congress, and our
enfants sont à la maison, en Allemagne. | children are at home in Germany.

Michel
Vous avez des enfants? | So you have children?

Sandra
Oui, j'ai deux filles: Christina qui | Yes, I have two daughters: Christina is
est étudiante et Anne qui est encore | a student, and Anne still goes to
au lycée. En ce moment, elles sont | grammar school. At the moment
chez nous avec leur grand-mère. | they are at home with their grandmother.

Michel
Vos filles sont grandes!
Elles ont quel âge?

Your children are quite old!
How old are they?

Sandra
Christina a vingt ans et sa soeur
a seize ans. Vous avez de la famille?

Christina is 20 and her sister is 16 years
old. Do you have any family?

Michel
Oui, je suis marié. Ma femme est
dans l'enseignement; elle est institutrice.
Nous avons aussi deux enfants.

Yes, I'm married. My wife works in
education, she is a primary school
teacher. We also have two children.

Sandra
Des filles ou des garçons?

Girls or boys?

Michel
Une fille, Pauline, qui a quatre ans,
et un garçon, Eric.

A girl, Pauline, who's 4 years old,
and a son, Eric.

Sandra
Votre fils a quel âge?

How old is your son?

Michel
Il a un an. Et nous avons un chien:
il s'appelle Filou, il a déjà sept ans!

He's one. And we have a dog: he's called
Filou and is already seven years old!

Sandra
Nous n'avons pas de chien mais
nous avons trois chats! A propos,
Bernard est marié?

We don't have a dog, but we have
three cats! By the way, is Bernard
married?

Michel
Non, il est célibataire. Mais depuis
janvier il a une petite amie italienne.
Il parle bien italien maintenant! Ah,
voilà votre jus de raisin et ma bière!

No, he's single. But he's had an italian
girlfriend since January. He speaks
really good Italian now! Ah, here's
your grape juice and my beer.

Waiter
Le jus de fruits, c'est pour madame?

The juice is for madame?

Sandra
Oui, merci !

Yes, thank you!

Waiter
Voilà votre bière, monsieur.

Your beer, sir.

Michel
Merci!

Thank you!

EXERCICES

Instructions: You will hear a question or a request which you should answer after the tone in the pause. You will then hear the correct answer.

You can then compare your answer with the correct answer.

There is an example for each exercise.

CD1 Exercice 1

TOP 9 Take on the role of Sandra and answer the following questions.

 Example:

Voix: ***Vous prenez un café ou un thé?***

Vous: ***Je prends un thé***

Voix: ***Je prends un thé.***

Vous: ***Je prends un thé.***

A vous - and now you :

1. Vous prenez un café ou un thé? Would you like a coffee or a tea?
   Je prends un thé.

2. Vous avez faim? Are you hungry?
   Non, je n'ai pas faim.

3. Il fait froid? Is it cold?
   Oui, il fait froid.

4. Vous travaillez avec Bernard? Do you work with Bernard?
   Oui, je travaille avec Bernard.

5. Vous avez deux fils? Do you have two sons?
   Non, je n'ai pas deux fils,
   j'ai deux filles.

6. Elles sont grandes? Are they grown-up?
   Oui, elles sont grandes.

7. Vous avez un chien? Do you have a dog?
   Non, je n'ai pas de chien.

CD1 **Exercice 2**

Take on the role of Michel and answer the following questions using the possessive adjective.

 Example:

Voix: ***Votre fille s'appelle comment?***

Vous: ***Ma fille s'appelle Pauline.***

Voix: ***Ma fille s'appelle Pauline.***

Vous: ***Ma fille s'appelle Pauline.***

 A vous – and now you :

1. Votre fille s'appelle comment?
   Ma fille s'appelle Pauline.
   What's your daughter's name?

2. Votre fils a quel âge?
   Mon fils a cinq ans.
   How old is your son?

3. Votre femme est institutrice?
   Oui, ma femme est institutrice.
   Is your wife a teacher?

4. Vos enfants sont encore petits?
   Oui, mes enfants sont encore petits.
   Are your children still young?

5. Le chien de vos enfants s'appelle comment?
   Leur chien s'appelle Filou.
   What's your children's dog called?

6. Vous êtes le voisin de Bernard?
   Oui, je suis son voisin.
   Are you Bernard's neighbour?

7. La petite amie de Bernard est italienne?
   Oui, sa petite amie est italienne.
   Is Bernard's girlfriend Italian?

D1 Exercice 3
→ 11

Listen to the following numbers and repeat them:
1 -— 21 22 32 43 54 65 70 71 72 80 81 86 90 91 97 100 101 102 10 200
300 400 500 600 700 800 900 1000

Answer the following questions.

 Example:

Voix: ***Christina Reiter a quel âge?***

Vous: ***Elle a 20***

Voix: ***Elle a 20 ans.***

Vous: ***Elle a 20 ans.***

A vous — and now you:

1. Christina Reiter a quel âge?
   Elle a 20 ans.

   How old is Christina Reiter?

2. Sa soeur a quel âge?
   Elle a 16 ans.

   How old is her sister?

3. Les deux soeurs ont quel âge?
   Elles ont 20 et 16 ans.

   How old are the two sisters?

4. Pauline Lamarcquet a quel âge?
   Elle a 10 ans.

   How old is Pauline Lamarcquet?

5. Son frère a quel âge?
   Il a 5 ans.

   How old is her brother?

6. Le chien de Pauline et Eric
   a quel âge?
   Il a 11 ans.

   How old is Pauline's
   and Eric's dog?

7. Vous avez quel âge?
   J'ai ... ... ans.

   How old are you?

GRAMMAIRE

The cardinal numbers from 1 to 20 – les nombres cardinaux de 1 à 21 :

1	un	11	onze
2	deux	12	douze
3	trois	13	treize
4	quatre	14	quatorze
5	cinq	15	quinze
6	six	16	seize
7	sept	17	dix-sept
8	huit	18	dix-huit
9	neuf	19	dix-neuf
10	dix	20	vingt

The pronunciation of the numbers can be practised in the verbal exercises.

The Adjectival Number

When a cardinal number is placed in front of a noun which begins with a _vowel_ or a _silent h_, the final consonant is carried over.

un avion	une idée
deux_hôtels	six_aéroports

The Possessive Adjective – Les adjectifs possessifs

The possessive adjective is conjugated according to the gender and number of the noun it precedes:

Je parle avec ...	**mon** voisin	**Tu** parles avec ...	**ton** voisin
	ma voisine		**ta** voisine
	mes voisins		**tes** voisins
	mes voisines		**tes** voisines

Il/elle parle avec...	**son** voisin	**Nous** parlons avec...	
	sa voisine	**On** parle avec...	
	ses voisins		**notre** voisin
	ses voisines		_**nos**_ voisins
			nos voisines

Vous parlez avec...	**votre** voisin	**Ils/elles** parlent avec ...	**leur** voisin
	**votre** voisine		_**leur**_ voisine
	vos voisins		**leurs** voisins
	vos voisines		**leurs** voisines

Attention: In front of nouns which begin with a vowel or a silent h, the singular forms mon, ton and son are used, even when the nouns are feminine!

ma fille, mais **mon** idée
ta femme, mais **ton** amie
sa bière, mais **son** histoire

Attention: the pronouns in the 3. person singular + plural in French are conjugated according to the gender of the following substantive.

English	French
Sandra is speaking with **her** neighbour.	**Sandra** parle avec **son voisin**.
Michel is speaking with **his** neighbour.	**Michel** parle avec **son voisin**.
Michel is speaking with **his** (female) neighbour.	**Michel** parle avec **sa voisine**.

Sandra is speaking with **her** neighbours.	**Sandra** parle avec **ses voisins**.
Michel is speaking with **his** neighbours.	**Michel** parle avec **ses voisins**.
Michel is speaking with **his** (female) neighbours.	**Michel** parle avec **ses voisines**.

The Regular Verbs Ending in –er (Present) - Le présent des verbes en –er
The regular verbs ending in **-er** have the following endings:

	Singular	Plural
1. person	**-e**	**-ons**
2. person	**-es**	**-ez**
3. person	**-e**	**-ent**

Infinitive	travailler	Infinitive	habiter
je	travaille	j'	habite
tu	travailles	tu	habites
il/elle/on	travaille	il/elle/on	habite
nous	travaillons	nous	habitons
vous	travaillez	vous	habitez
ils/elles	travaillent	ils/elles	habitent
Imperative	travaille!		
	travaillons!		
	travaillez!		

Attention: The endings **-e**, **-es**, **-e** and -ent are not pronounced! Only the endings -ons and -ez are pronounced!

Tip: When the verb begins with a vowel or a silent h, the form je is shortened to *j'* and the **s** in **nous** and **vous**, **ils** and **elles** is pronounced

j'habite	nous_habit**ons**	vous habit**ez**

Characteristics of the Verbs *appeler*— to call

Infinitive	appeler
j'	appell**e**
tu	appell**es**
il/elle/on	appell**e**
nous	appel**ons**
vous	appel**ez**
ils/elles	appell**ent**
Imperative	appelle!
	appelons!
	appelez!

When the ending is stressed (1. and 2. Person Plural), the stem form is retained as in the infinitive (appel-).

When the ending is not stressed, the consonant of the stem is doubled (1., 2., 3. Person Singular and 3. Person Plural) (appell-).

The same for: *jeter* (throw)

FRANCE PRATIQUE

In every café there is always a **tarif des consommations**, where one can read the drinks prices.

If you drink at the **bar** or the **comptoir**, it's not so expensive. Outside on the terrace **à la terrasse** it is more expensive.

In the morning the French drink a **petit noir**; in the afternoon you can order a **sandwich**, or warm snacks such as **omelette**. The bill (one asks for: **l'addition s'il vous plaît**) is brought to the table and one lays the money on it. The waiter brings the change (**la monnaie**). Normally the waiter receives **un pourboire** (a tip).

Watch out: the tip is simply left on the table, and not added to the bill as in the UK. Look on the menu or the bill to see if service is included: **service compris** or **service non compris**. Add a small tip even if it is **service compris**!

And another point: a tea room in the UK is **un salon de thé** in France.

Here is a list of things one can order in a café:

un crème	a cup of coffee with milk
un petit noir	a small cup of black coffee
une menthe à l'eau	peppermint cordial with water
une orange pressée	freshly pressed orange
un orangina	orange lemonade
une limonade	lemonade
un chocolat chaud	hot chocolate
un thé nature	a cup of tea without milk
une bière pression	draught beer
un cognac	cognac
un martini	a Martini

EXERCICE ÉCRIT

Here is a conversation between two people, try to put it into the right order. Start with the waiter's question:

"Bonjour Messieurs! Qu'est-ce que vous prenez?"

1. Oui, j'ai faim, je prends une omelette aux champignons. Vous travaillez dans l'informatique?

1. Vos enfants sont encore petits; votre femme travaille?

2. Je prends une bière; qu'est-ce que vous prenez?

3. Oui, c'est ça. Vous êtes marié?

4. Ils ont quel âge?

5. Non, je suis célibataire mais j'ai un chien; voilà votre café et ma bière!

6. Oui, je travaille dans l'informatique; vous êtes ici pour la conférence?

7. Oui, je suis marié et j'ai trois enfants.

8. Oui, elle travaille dans la mode. Vous avez de la famille?

9. Je prends un café et aussi un sandwich au jambon; vous avez faim?

10. Mon fils a 9 ans et mes filles ont 7 et 5 ans.

Solution: 3-10-1-7-4-8-5-11-2-9-6

Leçon 3
C'est loin d'ici?

In this lesson you will learn:

— to ask for directions;
— to understand the explanation;
— various forms of apologizing when the information is not understood.

Learn the following expressions:

Je suis désolé(e), je ne suis pas d'ici!	I'm sorry, I'm not from here.
Demandez à quelqu'un d'autre!	Please ask somebody else!
Ce n'est pas grave!	That's no problem!
Vous pouvez répéter, s'il vous plaît ?	Could you repeat that please?
Parler plus lentement, s'il vous plaît!	Could you speak more slowly please?
C'est loin d' ici?	Is it far from here?
C'est à 10 minutes à pied.	It's about a 10 minute walk.
Vous traversez le carrefour	You cross the road junction.
Allez tout droit!	Carry straight on!
Prenez la première rue à gauche!	Take the first street on your left!
Il y a ... près d'ici ?	Is there a ... near here?
Je vous remercie.	Thank you very much.
Je vous en prie.	You're welcome!

:D1 Dialogue

●P 14

Contents:
Sandra asks the way to the travel and tourist information offices whilst on the street. A man helps her and tells her the way.

Dans la rue

Sandra
Pardon, madame, pour aller à l'office de tourisme?

Excuse me, how do I get to the tourist information centre?

Woman
Je suis désolée, mais je ne suis pas d'ici! Demandez à quelqu'un d'autre!

I'm sorry, but I'm not from here. Please ask somebody else.

Sandra
Ce n'est pas grave, merci quand même! — Pardon, monsieur, pour aller à l'office de tourisme, s'il vous plaît?

That's all right, thanks anyway!
Excuse me, how can I get to the tourist information centre, please?

Man
Ah oui, je sais! L'office de tourisme, c'est sur les Champs-Elysées, dans le VIIIe.

Ah yes, I know! The tourist information centre is on the Champs-Elysées, in the eighth (arrondisssement).

Sandra
Pardon, je ne comprends pas ...

I'm sorry, I don't understand ...

Man
C'est dans le huitième arrondisse-ment! Vous êtes à pied ou en voiture?

It's in the eighth arrondissement! Are you on foot or in a car?

Sandra
Je suis à pied. C'est loin d'ici?

I'm on foot. Is it far from here?

Man
Non; bien sûr, il y a un arrêt d'autobus juste derrière vous; c'est direct mais en bus c'est long; vous descendez au septième arrêt, je crois.

No. There's a bus stop right behind you There's a direct connection, but it takes a long while, you get off at the seventh stop, I think.

Sandra
Et à pied?

And walking?

Man

C'est à dix minutes à pied. D'abord, vous allez tout droit jusqu'au premier feu. Vous arrivez à un grand carrefour. Vous traversez le carrefour et vous prenez la deuxième rue à gauche. Vous continuez jusqu'au bout de la rue et ...

It takes ten minutes walking. First you go straight on to the first set of traffic lights. You will come to a big road junction. You cross the road junction and take the second street on your left. You go straight on to the end of the street and ...

Sandra

Vous pouvez répéter un peu plus lentement, s'il vous plaît?

Could you repeat that a bit more slowly, please?

Man

Ah oui, excusez-moi! Alors, allez tout droit jusqu'au premier feu.

Oh yes, sorry! So, you go straight on to the first set of traffic lights.

Sandra

Je vais tout droit. J'arrive à un feu.

I go straight on. I come to the traffic lights.

Man

C'est ça. Traversez le carrefour. Prenez la deuxième rue à gauche et continuez tout droit!

Exactly. You cross over the crossing. You take the second street on the left and carry straight on.

Sandra

Je traverse le carrefour, je prends la ... première ou deuxième rue à gauche?

I cross over the crossing. I take the ... first or second street on the left?

Man

La deuxième! Continuez jusqu'au bout de la rue et là, vous êtes sur l'avenue des Champs-Elysées.Descendez l'avenue; l'office de tourisme, c'est là!

The second! Go to the end of the street and you will reach the Champs-Elysées Walk down the avenue, and there is the tourist information centre!

Sandra

Merci, monsieur! Encore une question: il y a une cabine téléphonique près d'ici?

Thank you very much! I have another question: Is there a telephone box around here?

Man

Oui, bien sûr! Regardez là-bas, à côté de l'hôtel, au coin de la rue!

Yes, of course! Look over there, next to the hotel on the corner!

Sandra

Ah oui, je vois! Je vous remercie.

Oh yes. Thank you very much.

Man

Je vous en prie!

You're welcome / Please don't mention it.

EXERCICES

Instructions: You will hear a question or a request which you should answer after the tone in the pause.
You will then hear the correct answer.
You can then compare your answer with the correct answer.

There is an example for each exercise.

D1 Exercice 1
> 15

Ask the way.

E **Example:**

Voix: *l'office de tourisme*

Vous: *Pour aller à l'office de tourisme?*

Voix: *Pour aller à l'office de tourisme?*

Vous: *Pour aller à l'office de tourisme?*

A vous - and now you:

1. l'office de tourisme   the tourist information centre
   Pour aller à l'office de tourisme?

2. la gare de l'Est   the eastern railway station
   Pour aller à la gare de l'Est?

3. Les Champs-Elysées   the Champs-Elysées
   Pour aller aux Champs-Elysées?

4. le cinéma   the cinema
   Pour aller au cinéma?

5. l'hôtel   the hotel
   Pour aller à l'hôtel?

6. le théâtre   the theatre
   Pour aller au théâtre?

7. la pharmacie   the chemist's
   Pour aller à la pharmacie?

CD1 Exercice 2
P 16

Confirm the second possibility with an imperative.

 Example:

Voix: ***Je tourne à droite ou à gauche?***

Vous: ***Tournez à gauche!***

Voix: ***Tournez à gauche!***

Vous: ***Tournez à gauche!***

A vous - and now you:

1. Je tourne à droite ou à gauche?   Do I go left or right?
   Tournez à gauche!

2. Je traverse la place ou je prends   Do I cross the square, or do I take
   la rue Dumont?   Rue Dumont?
   Prenez la rue Dumont!

3. Je tourne à droite ou je vais   Do I turn right, or do I go straight on?
   tout droit?
   Allez tout droit!

4. Je descends ou je monte l'avenue   Do I go up the Champs-Elysées or
   des Champs-Elysées?   down?
   Montez l'avenue des Champs-Elysées!

5. Je prends la première ou la   Do I take the first or the second street
   deuxième rue à droite?   on the right?
   Prenez la deuxième rue à droite!

6. Je prends l'autobus ou je vais à pied?   Do I take the bus or do I walk?
   Allez à pied!

7. Je regarde le plan ou je demande   Do I look at the map, or do I ask
   à quelqu'un?   somebody?
   Demandez à quelqu'un!

CD1 Exercice 3

TOP 17

Listen to the ordinal numbers on the CD and repeat them! Answer the
following questions.

 Example:

Voix: *C'est la première visite de Sandra à Paris?*

Vous: *Oui, c'est la première visite de Sandra à Paris.*

Voix: *Oui, c'est la première visite de Sandra à Paris.*

Vous: *Oui, c'est la première visite de Sandra à Paris.*

 A vous — and now you:

1. C'est la première visite de Sandra   Is this Sandra's first visit to
   à Paris?   Paris?
   Oui, c'est la première visite de
   Sandra à Paris.

2. La première personne connaît Paris? Does the first speaker know Paris?
   Non, la première personne ne
   connaît pas Paris.

3. Sandra prend la troisième rue   Does Sandra take the third street
   à droite pour aller à l'office   on the right lto get to the tourist
   de tourisme?   information centre?
   Non, elle prend la deuxième rue à gauche.

4. Paris est la quatrième ville de   Is Paris the fourth largest city
   France?   in France?
   Non, Paris est la première ville de France.

5. C'est votre septième leçon de   Is this your seventh French lesson?
   français?
   Non, c'est ma troisième leçon de français.

6. L' office de tourisme est dans le   Is the tourist information centre in
   vingtième arrondissement?   the 20th arrondissement?
   Non, l'office de tourisme est dans
   le huitième arrondissement.

GRAMMAIRE

The Prepositions – les prépositions

The most frequently used prepositions are: **à** (to, in) and **de** (of).

Sandra va **à** l'hôtel.	Sandra goes to the hotel.
Elle vient **de** l'hôtel.	She comes from the hotel.
Il va **à** la conférence.	She goes to a meeting.
Il vient **de** la conférence.	She comes from a meeting.

When the definite article follows these prepositions, the definite articles le and les are combined with the preposition in the following way:

à + *le* = **au**	**de** + *le* = *du*
à + **les** = **aux**	**de** + **les** = **des**

Sandra est **au** café.	Sandra is in a café.
Elle vient **du** café.	She comes from a café.
Elle parle **aux** garçons.	She talks to the boys.
Elle parle **des** hôtels français.	She talks about the French hotels.

Further prepositions which are introduced in the lesson:

sur	on
dans	in
derrière	behind
jusqu'à	until

Country Names – Les noms de pays

In French the majority of the names of countries are feminine. Generally they are preceded by the definite article (the exception is Israel):

la France	**le** Portugal	**les** États Unis (EUA)
la Belgique	**le** Danmark	**les** Pays-Bas (NL)
l'Allemagne	**le** Maroc	
l'Italie		

With the use of prepositions a few peculiarities should be remembered:

If the country name is **masculine**, the preposition à (respectively *de* + **article**) is used:

Il est **au** Danmark.	He is in Denmark.
Il vient **du** Danmark.	He comes from Denmark.
Il va **aux** États-Unis.	He is going to the USA.
Il vient **des** États-Unis.	He comes from the USA.

If the country name is **feminine**, the preposition **en**, or respectively **de** without the article is used.

Il va **en** France.	He is travelling to France.
Il est **en** France.	He is in France.
Il vient **de** France.	He comes from France.

The Regular Verbs Ending in *-dre* (Present tense) –
Le présent des verbes en *-dre*

The regular verbs ending in **-dre** in the present tense have the following endings:

	Singular	Plural
1. person	-s	-ons
2. person	-s	-ez
3. person	-d	-ent

Example: The verb ***descendre*** (to go down, descend)

Infinitive	descendre
je	descend**s**
tu	descend**s**
il/elle/on	descen**d**
nous	descend**ons**
vous	descend**ez**
ils/elles	descend**ent**
Imperative	descends!
	descendons!
	descendez!

The same for:

attendre (wait)
répondre (wait
rendre (give back)
vendre (sell)

Peculiarities of the Verb *prendre* (take)

infinitive	prendre
je	pren**ds**
tu	pren**ds**
il/elle/on	pren**d**
nous	pren**ons**
vous	pren**ez**
ils/elles	pre**nnent**
Imperative	prends!
	prenons!
	prenez!

Attention: In the 1st, 2nd and 3rd person plural, the stem is altered to become pren- instead of prend-! The 3rd Person has two "n"s.

The same for:

comprendre (understand)
apprendre (learn)

The Verb *"aller"* – Le verbe *"aller"*

The verb *"aller"* is the only irregular verb ending in **-er.**

Infinitive	aller
je	**vais**
tu	**vas**
il/elle/on	**va**
nous	**allons**
vous	**allez**
ils/elles	**vont**
Imperative	va!
	allons!
	allez!

The Verb *"avoir"* — Le verbe *"avoir"*

infinitive	avoir (have)
j'	**ai**
tu	**as**
il/elle/on	**a**
nous	**avons**
vous	**avez**
ils/elles	**ont**

Il y a — there is/there are

To express who or what is in a place *il y a* is used:

<u>**A l'aéroport**</u>, **il y a** Sandra, Bernard et Michel.
Il y a une cabine téléphonique <u>**près d'ici?**</u>

The place can come at the start of the sentence (*à l'aéroport*) or at the end of the sentence (*près d'ici*).

FRANCE PRATIQUE

1. Sentences used when something is not understood or when one wishes to apologize:

   When you want to ask something, you say **"Pardon"** (pardon, sorry) or **"Excusez-moi"** (Excuse me).
   When you have not understood something or something that somebody says is too complicated, you should not be shy or embarrassed but say immediately: **"je ne comprends pas"** (I don't understand) / **"je n'ai pas compris"** (I haven't understood / **"pouvez-vous parler plus lentement?"** (Could you speak more slowly?) or **"pouvez-vous répéter?"** (Could you repeat that?) When you have received information or directions, it is polite to say:

	"merci bien/ merci beaucoup"
or also:	**"je vous remercie"** (I thank you)
As an answer you will hear:	**"je vous en prie"**
	"de rien"
or in the slang form	**"pas de quoi!"**

2. It can be difficult finding the correct building or office, especially when you do not know what it is called in French! There are various signs in every town signposting the most important buildings:
   To find the town hall, for example, look for the sign saying **"mairie"** or **"hôtel de ville"** (don't try to book a room for the night there!).

   If you need assistance from the police, look for the sign saying **"commissariat de police"**, in smaller towns shown as **"gendarmerie"**.

   Every town has an **"office de tourisme"** or **"syndicat d'initiative"**, where you can find information about hotels, tourist information or a list of restaurants.

   At the **"P.T.T."** – that's "la poste" -- you can send letters or parcels or phone.

   At the **"station-service"** you can get petrol, and if the car breaks down, look for the **"garage"** (garage) sign.

   The sign **"gare S.N.C.F."** indicates the way to the railway station; **"gare routière"** indicates the way to the bus station.

EXERCICE ÉCRIT

Start with sentence 3: "Pardon, Monsieur, pour aller à la société Instrumedic?"

1. Merci, c'est clair maintenant. Et l'A.N.P.E., c'est où exactement?

2. Ah oui, je connais la société; mon fils travaille juste à côté, à l' A.N.P.E.

3. Pardon monsieur, pour aller à la société Instrumédic?

4. C'est loin d'ici?

5. Je vous remercie beaucoup, madame.

6. Désolé, je ne suis pas d'ici.

7. L' A.N.P.E., qu'est-ce que ça veut dire? Je ne comprends pas.

8. Vous traversez la place Paul Valéry, vous prenez la première rue à droite, vous êtes dans la rue Latour; il y a un grand bâtiment, c'est l'A.N.P.E.; juste à côté, vous avez la société Instrumédic!

9. Pardon madame, pour aller à la société Instrumédic, rue Latour?

10. L' A.N.P.E., c'est l'agence pour les personnes qui n'ont pas de travail.

11. Non, c'est à dix minutes à pied.

12. Je vous en prie!

Solution: 3–6–9–2–7–10–1–8–4–11–5–12.

CD1 In this lesson you will learn:
TOP 19

- asking for information;
- to say what you want to see, do or visit;
- to ask what one can see, do or visit;
- to ask where one can see, do or visit something

Learn the following expressions:

Je peux vous aider?	Can I help you?
Je voudrais un plan de Paris.	I would like a map of Paris.
Je voudrais visiter le musée Rodin.	I would like to visit the Rodin Museum.
Où est-ce que je peux acheter des billets?	Where can I buy the tickets?
Il faut descendre à la station Varenne.	You have to get off at the Varenne station.

D1 Dialogue
P 20

Contents:

Sandra would like to visit a few places of interest. She goes to the travel centre to get some information. First she asks for a city map. She then gets some information about bus and boat (bateau-mouche) sightseeing tours. She also receives information about the various travel tickets (for example carnet 10 ticket offer). Finally she requests some information about museum visits.

A l'office du tourisme

Employée
Madame, je peux vous aider?

Can I help you?

Sandra
Je voudrais un plan de Paris,
s'il vous plaît!

I would like a map
of Paris, please.

Employée
Oui, voilà un plan.

Yes, here is a map.

Sandra
J'aimerais voir les grands sites
touristiques de la capitale
maintenant. Qu'est-ce que vous
conseillez?

I would like to visit the main tourist
attractions in the capital. What would
you recommend for this?

Employée
Vous pouvez faire un tour en
autobus. Voilà deux dépliants; vous
avez toutes les informations
nécessaires dedans.

You could go on a sightseeing
tour on the bus. Here are two
brochures with all the information you
will need.

Sandra
Le tour dure combien de temps?

How long does a tour last?

Employée
Il dure deux heures environ.
Vous pouvez aussi prendre les
bateaux-mouches sur la Seine!

It lasts about two hours.
You could also take a tour on the
Seine!

Sandra
Oui, c'est une bonne idee. Et pour
prendre le métro, quels billets
est-ce que je peux acheter?

Yes, that's a good idea. Which
ticket do I need to travel on the
Metro?[1]

[1] the underground

53

Employée
Vous pouvez acheter une carte
"Paris Visite": elle est valable pour
le métro, le RER et l'autobus
pendant deux, trois ou cinq jours.
Avec cette carte, vous pouvez avoir
une réduction sur l'entrée de
nombreux sites touristiques.

You can buy a "Paris Visite" ticket
It's valid for the Metro, the RER
network and for busses, and is
available for two, three or five
days. You also get many reductions
for various places of interest.

Sandra
Et la "Carte O..."

And the "Carte O..."?

Employée
La "Carte Orange"? Oui, vous
pouvez aussi acheter la "Carte
Orange", mais elle est valable pour
une semaine ou un mois. Vous
avez une photo d'identité?

The "Carte Orange"? Yes, you can
also buy a "Carte Orange".
But it's valid for either a week or for
a month. Do you have a passport
photo?

Sandra
Non, ça ne va pas. Je visite Paris
seulement aujourd'hui et partir
de demain j'ai une conférence et
je vais en province.

No, that's no good. I only want to
visit Paris today. Tomorrow I am at
a conference and then I am going to
the country.

Employée
Alors, prenez un carnet de métro,
c'est plus avantageux!

Then buy a "Carnet" for
the Metro, it's cheaper!

Sandra
Un carnet, qu'est-ce que c'est?

A "Carnet", what's that?

Employée
Un carnet de métro a dix tickets.
Vous pouvez utiliser les tickets
quand vous voulez!

A "Carnet" has ten single tickets
You can use them as you need
them.

Sandra
J'ai encore une question: J'aimerais
bien voir les statues de Rodin.
Où est-ce qu'il faut aller?

I have another question: I would
like to see the Rodin statues.
Where must I go?

Employée
Pour voir les statues de Rodin,
il faut visiter le Musée Rodin avec
ses jardins rue de Varenne dans
le septième. Regardez, je fais une
croix sur le plan.

To see the Rodin statues
you must go to the Rodin Museum.
Look, I'll put a cross
on the map.

Sandra
Il faut prendre le métro jusqu'à quelle station?

Which station do I take the Metro to?

Employée
Il faut descendre à la station "Varenne".

You get off at the "Varenne" stop.

Sandra
Le musée est ouvert aujourd'hui?

Is the museum open today?

Employée
Oui, aujourd'hui, nous sommes dimanche, donc il n'y a pas de problème. En général, les musées sont ouverts tous les jours sauf le lundi ou le mardi et certains jours fériés.

Yes, it's Sunday today so there's no problem. The museums are generally open daily, apart from Mondays and Tuesdays and some bank holidays.

Sandra
Jours fériés? Vous pouvez m'expliquer? Je ne comprends pas.

Bank holidays? Could you explain those? I don't understand.

Employée
Les jours fériés, ce sont par exemple le 1er janvier, le 1er mai, le 25 décembre.

They are national holidays like 1st January, 1st May or 25 December.

Sandra
Ah, d'accord, c'est clair, merci.

Ah yes, o.k., that's clear now, thanks.

Employée
Prenez ce guide: vous avez la liste de tous les musées de Paris, avec toutes les informations nécessaires.

Take this guide with you: there's a list of all the Parisian museums and all the necessary information.

Sandra
Merci de votre gentillesse. Au revoir!

Thank you for your kind assistance. Good bye!

Employée
Au revoir et bon séjour à Paris!

Good bye and have a pleasant stay in Paris!

EXERCICES

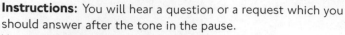

Instructions: You will hear a question or a request which you should answer after the tone in the pause.
You will then hear the correct answer.
You can then compare your answer with the correct answer

There is an example for each exercise.

CD1 Exercice1
TOP 21

The Modal Verbs — Les verbes "vouloir" et "pouvoir"

Answer the following questions:

 Example:

Voix: *Sandra veut un plan de Paris?*

Vous: *Oui, elle veut un plan de Paris.*

Voix: *Oui, elle veut un plan de Paris.*

Vous: *Oui, elle veut un plan de Paris.*

A vous - and now you:

1. Sandra veut un plan
   de Paris?
   Oui, elle veut un plan de Paris.

   Does Sandra want a map of Paris?

2. Sandra veut prendre les
   bateaux-mouches?
   *Non, elle ne veut pas prendre
   les bateaux-mouches.*

   Does Sandra want to go on
   a boat trip?

3. Sandra veut visiter le
   Musée Picasso?
   *Non, elle ne veut pas visiter
   le Musée Picasso, elle veut visiter
   le Musée Rodin.*

   Does Sandra want to visit the
   Picasso Museum?

4. Vous voulez parler français?
   Oui, je veux parler français!

   Do you want to speak French?

5. Sandra peut utiliser la carte Paris
   Visite pour le métro et l'autobus?
   *Oui, elle peut utiliser la carte Paris
   Visite pour le métro et l'autobus.*

   Can Sandra use the "carte Paris Visite"
   for the Metro and for the bus system?

6. Sandra peut prendre le métro pour
   aller au Musée Rodin?
   *Oui, elle peut prendre le métro
   pour aller au Musée Rodin.*

   Can Sandra take the Metro
   to the Museum Rodin?

7. Nous sommes dimanche;
   Sandra peut visiter les musées?
   Oui, elle peut visiter les musées.

   It's Sunday; can Sandra
   visit the museums?

CD1 Exercice 2
TOP 22

E Example:

Voix: ***Pour visiter Paris, il faut avoir un plan?***

Vous: ***Oui, il faut avoir un plan.***

Voix: ***Oui, il faut avoir un plan.***

Vous: ***Oui, il faut avoir un plan.***

 A vous–and now you:

1. Pour visiter Paris, il faut avoir un plan?
   Oui, il faut avoir un plan.

   Do you need a city map to visit Paris?

2. Pour avoir des informations sur Paris, il faut aller où?
   Il faut aller à l'office de tourisme.

   Where do you have to go to get information about Paris?

3. Pour aller à l'office de tourisme de Paris, il faut prendre les Champs-Elysées?
   Oui, il faut prendre les Champs-Elysées?

   Do you have to go along the Champs-Elysées to the tourist information?

4. Pour prendre le métro, Qu'est-ce qu'il faut avoir?
   Il faut avoir un ticket.

   What do you need to travel on the Metro?

5. Il faut aller jusqu'à quelle station de métro pour aller au Musee Rodin?
   Il faut aller jusqu'à la station Varenne.

   Which station do you travel to in order to reach the Rodin Museum?

6. Pour prendre un autobus,
   il faut aller où?
   Il faut aller à l'arrêt d'autobus.

Where do you have to go
to catch a bus?

7. Pour prendre une bière,
   Il faut aller où?
   Il faut aller dans un café.

Where do you have to go to
get a beer?

D1 Exercice 3

• 23

Alter the following questions using "est-ce que".

 Example:

Voix: **Le tour en autobus
       dure deux heures?**

Vous: **Est-ce que le tour en autobus
       dure deux heures?**

Voix: **Est-ce que le tour en autobus
       dure deux heures?**

Vous: **Est-ce que le tour en autobus
       dure deux heures?**

 A vous - and now you:

1. Le tour en autobus dure
   deux heures?
   **Est-ce que le tour en autobus
   dure deux heures?**

Does the bus tour last two hours?

2. Je peux acheter une carte Paris
   Visite ici?
   **Est-ce que je peux acheter
   une carte Paris Visite ici?**

Can I buy a "carte Paris Visite"
here?

3. Vous voulez prendre les
   bateaux-mouches?
   **Est-ce que vous voulez prendre
   les bateaux-mouches?**

Would you like to go for a boat
tour on the Seine?

4. Je prends le métro où?   Where do I get the Metro?
   Où est-ce que je prends le métro?

5   Je peux visiter le musée   Can I visit the museum
   aujourd'hui?   today?
   ***Est-ce que je peux visiter le
   musée aujourd'hui?***

6   Il faut acheter un billet pour   Do you have to buy a ticket
   visiter le musée?   to visit the museum?
   ***Est-ce qu'il faut acheter
   un billet pour visiter le musée?***

7   Vous êtes à Paris pour combien   How long are you staying in
   jours?   Paris?
   ***Pour combien de jours est-ce
   que vous êtes à Paris?***

GRAMMAIRE

The Ordinal Numbers – les nombres ordinaux:

The ordinal numbers are formed by adding the ending-ième to the cardinal numbers. The exception is the first two ordinal numbers, whereby one must differentiate between the **masculine** and **feminine form**:

1er	le premier	**11**e	le/la on**zième**
1ère	*la première*		
2e	**le second**/*la seconde*	**12**e	le/la dou**zième**
	le/la deuxi**ème**		
3e	le/la troisi**ème**	**13**e	le/la trei**zième**
4e	le/la quat**rième**	**14**e	le/la quator**zième**
5e	le/la cin**quième**	**15**e	le/la quin**zième**
6e	le/la six**ième**	**16**e	le/la sei**zième**
7e	le/la sept**ième**	**17**e	le/la dix-sept**ième**
8e	le/la huit**ième**	**18**e	le/la dix-huit**ième**
9e	le/la neu**vième**	**19**e	le/la dix-neu**vième**
10e	le/la dix**ième**	**20**e	le/la vingt**ième**

With cardinal numbers ending in **-e** (eg. quatre, **onze**, douze, treize...) the e is dropped when forming the ordinal (**onzième**).

The indefinite "tout"
"Tout" normally comes before the definite article and takes over its qualities (masculine/femine — singular/plural).

tout **le** jour	all day long
tout**e la** nuit	all night long
tou**s ces** gens	all these people
tout**es mes** robes	all my clothes

Sometimes it is followed by the indefinite article "un/une" when regarding to an indefinite period of time.

tout**e *une*** journée	a complete day

"Tout" can be used on its own:

Je regarde **tout**.	I can see (it) all.
Ils travaillent **tous**.	They are all working.

Questions with *"est-ce que"* – L'interrogation avec *"est-ce que"*

In chapter 1 we have already learned about asking a question through intonation. Another possibility will be described now:

Put **"est-ce que"** at the beginning of a question, and answer with "yes" or "no". The voice rises at the end.

Est-ce que Sandra aime Paris?	Oui, elle aime beaucoup Paris.
Does Sandra like Paris?	Yes, she likes it very much.
Est-ce qu'elle visite Paris?	Non, elle travaille.
Is she visiting Paris?	No, she is at work.
Qu'est-ce que vous me conseillez?	What can you recommend?
Où est-ce qu'il faut aller?	Where does one have to go?

Regular Verbs Ending in *-ir* in the Present Tense – le present des verbes en *-ir*

	Singular	Plural
1. person	**-s**	**-ons**
2. person	**-s**	**-ez**
3. person	**-t**	**-ent**

These verbs fall into two categories.

Example: *finir* (finish) ; *sortir* (go out)

je	**finis**	je	**sors**
tu	**finis**	tu	**sors**
il/elle/on	***finit***	il/elle/on	**sort**
nous	**finissons**	nous	**sortons**
vous	**finissez**	vous	**sortez**
ils/elles	**finissent**	ils/elles	**sortent**
Imperative	finis!	sors!	
	finissons!	sortons!	
	finissez!	sortez!	

In this group you must be aware of the **-ss-** in the plural form.

Here the last consonant of the infinitive stem (the t sortir) is dropped in the singular.

Further examples are: **choisir** (choose) and **réagir** (react).

This group includes : **partir** (leave) and **dormir** (sleep).

The Verbs *"pouvoir","vouloir";"il faut"* –
Les verbes *"pouvoir","vouloir";"il faut"*

The verbs *"pouvoir"* (be able to) and *"vouloir"* (want to) are irregular.

je	**peux**	je	**veux**
tu	**peux**	tu	**veux**
il/elle/on	**peut**	il/elle/on	**veut**
nous	**pouvons**	nous	**voulons**
vous	**pouvez**	vous	**voulez**
ils/elles	**peuvent**	ils/elles	**veulent**

The impersonal expression *"il faut"* means: "it is necessary to/one has to". (Infinitive **falloir**)

This expression is completed with an infinitive: *"il faut"* + **infinitive** (one must/ it is necessary) or with a noun: *"il faut"* + **noun** (one needs something).

"il faut" + infinitive

Il faut aller à l'hôtel.
One must go to the hotel .

Il te faut aller à l'hôtel
You have to go to the hotel.

"il faut" + noun

Il faut un plan de Paris.
One needs a map of Paris.

Il me faut un Plan de Paris.
I need a map of Paris.

FRANCE PRATIQUE

The days of the week are: lundi, mardi, mercredi, jeudi, vendredi, samedi et dimanche. These are written without capitals.
Be aware: "dimanche, je vais au Louvre": I am going to the Louvre on Sunday,"je vais le dimanche au Louvre": I go to the Louvre every Sunday.
The months are always written without capitals – except, of course, at the beginning of the sentence.
   In January = En janvier
Please note that when giving the date, the cardinal form (and not the ordinal form as in English) is used: le cinq mars; le vingt et un septembre; the exception is: le premier mai.

Here are the various months, important Bank holidays and holidays and their tradition:
- **Le 1er janvier:** the French wish each other a "bonne année!" (a national holiday)
- **Le 6 janvier:** *"L'épiphanie"*: at every baker's you can buy "une galette des rois" (puff pastry cake), in the middle *"la fève"* is hidden, whoever finds it, is the king or queen and receives a paper crown! Every child loves this sweet tradition!
- **Le 2 février:** *"La Chandeleur"* (Candlemass); on this day crêpes (pancakes) are traditionally eaten. In February *"le carnaval"* is celebrated – not as intensively as in Notting Hill. Le jour du **Mardi gras** (Carnival Tuesday): The children dress up. In the south of France there is *"le carnaval de Nice"* – very famus for its processions with fresh flowers: it's worth being there in Nice for this!
- At the end of March, *"fin mars"*, or the begin of April, *"début avril"* is Easter *"Pâques"*: It is the bells of Rome *"les cloches"* which bring the children their chocolate eggs. In the various bakeries there are chocolate hens, "poules", instead of eggs. Please note that Good Friday *"vendredi saint"* is not a holiday in France!
- **Le 1er avril:** April Fool's Day – the children cut out fish from paper and hang them on the backs of other people, as the so-called *"poisson d'avril"*; on the radio, television and in the press there are often hoax reports.
- **Le 1er mai:** *"la fête du travail"*, there is the tradition of giving lillies of the valley (*"un brin de muguet"*), which are supposed to bring luck!
- **Ascension Day:** *"l'Ascension"* is celebrated 40 days after Easter.
- *"La Pentecôte"* (Pentecost); Whitsun, **le lundi de Pentecôte**, is also a national holiday.
- **Le 21 juin:** *"la fête de la musique"*; music is played everywhere, it's worth being in France for this day.

– **Le 14 juillet** is the National Day: there are dances, *"un bal"*, held everywhere and firework displays *"un feu d'artifice"*.
– **Le 15 août:** *"l'Assomption"* (Assumption Day).
– **September** is marked as the time when school and work begin again *"la rentrée"* after the summer holidays *"rentrée"*: after the summer break children go back to school, and political and industrial activities start again.
– There are no bank holidays in October!
– **"le 1er novembre"** is a bank holiday, "la Toussaint" (All Saints Day'). People take flowers – mainly chrysanthèmes – to the cemetry.
– On the **11. November** *"l'armistice"* (Armistice Day) is celebrated; it is a bank holiday.
– **Le 25 décembre:** *"Noël"* (Christmas). The shops stay open until 19:00 pm on . the 24th December, "hypermarchés" (huge supermarkets) often stay open until 22:00 pm. In France, only the 25th is a bank holiday. The French go back to work on the 26th.

Cultural spectrum–museums

Information for the museums can be obtained from the *"offices de tourisme"* in the "carte musées et monuments". for a set price, one has access to all the permanent colections in the museums and to the municipal sites of interest. For those wishing to visit the Louvre in peace, the best days are Mondays and Wednesdays, as the museum is open until 22:00pm on these days.
There is free entry on the first Sunday of the month!!!
For further information ask at "l'office de tourisme".

Le métro

Bus, Metro and RER all belong to the RATP (*"Réseau Autonome des Transports Parisiens"*), the official public transport system.
Try to avoid using the underground in the rush hours (*"les heures de point"*) between 7 and 9 o'clock, 5 and 7 o'clock. Take your time a bit: during the day the underground travels every two minutes.
You can reach everywhere in Paris on the underground. There are several different tickets available: *"un ticket"* (single ticket), *"un carnet"* (book of ten), *"une carte orange"* (weekly/monthly ticket) or *"une carte touristique"* (Tourist card). With a *"ticket Paris Visites"* you can travel throughout Paris for 1, 2, 3 or 4 days. There are similar arrangements in other towns and cities. Ask at any underground station as to the best fare for you. The underground in Paris has 15 lines. Each "ligne has its own number and the name of the terminus. To change trains, follow the signs reading *"correspondance"* and the number and/or destination for your connection. Travel is also possible up to 50 km outside of Paris on the R.E.R. (*réseau express régional*), there is a very good network. Get information at the *"stations de métro"*, *"gares"*, *"aéroports"* and *"offices de tourisme"*.

4 *Exercice écrit*

EXERCICE ECRIT

Imagine that you are in Reims, the "champagne" capital. You are at the "office de tourisme" to find out what there is to see in Reims. Place the following sentences in following dialogue into the right order.

The dialogue begins with the assistant — l'employé:
Bonjour monsieur, je peux vous aider?

1. Il faut voir la cathédrale Notre-Dame, elle est juste à côté, et aussi le palais du Tau; il se trouve à droite de la cathédrale.

2. Oui, pour avoir un billet, il faut réserver; vous pouvez acheter votre billet ici.

3. Merci, j'ai encore une question: est-ce que je peux aussi avoir un programme du festival de musique?

4. Bien sûr, monsieur, vous avez une visite dans vingt minutes.

5. Oui, voici la liste des caves de champagne à Reims et voici une brochure spéciale: la route touristique du champagne: vous avez les adresses pour toute la région.

6. D'accord! Je vous remercie de votre gentillesse. Au revoir!

7. Est-ce que je peux avoir une visite guidée pour le palais?

8. Voici une brochure sur Reims: vous avez un plan de la ville, la liste des restaurants et des hôtels.

9. Voilà le programme, monsieur. Il y a tous les jours des concerts de musique dans toute la ville.

10. Bonjour, je voudrais des informations sur la ville, s'il vous plaît!

11. Est-ce qu'il faut réserver pour avoir un billet?

12. Merci! Qu'est-ce qu'il faut voir à Reims?

13. Au revoir monsieur. Bon séjour à Reims!

14. Je voudrais aussi visiter une cave de champagne, vous avez des adresses?

Solution: 10-8-12-1-7-4-14-5-3-9-11-2-6-13

66

CD2 In this lesson you will learn:
TOP 1

- to tell the time;
- to describe the events of the day

Learn the following expressions:

Cela me fait plaisir.	That's good.
Quelle heure est-il?	What time is it?
Je me lève à ... heures.	I get up at ... o'clock.
Je m'habille.	I get dressed.
Nous habitons à deux pas de ...	We live close to ...
Qu'est-ce que cela veut dire?	What does that mean?
Les embouteillages m'énervent! Vous mettez combien de temps?	The traffic jams get on my How long do you need?
A quelle heure est-ce que vous finissez?	At what time are you finished?
Sortez-vous en semaine?	Do you go out during the week?

D2 Dialogue

Contents:
Sandra meets her colleague Bernard at their company Instrumedic. Bernard introduces Sophie, his secretary, who Sandra knows from telephone conversations. They talk about their daily routines. They talk about the various mealtimes, the journey to work and looking after the children.

Narrateur
Dans les bureaux de la société "Instru-médic". Bernard parle avec sa secré-taire Sophie. Sandra entre dans le bureau.

In the offices of "Instrumedic". Bernard is chatting with her business partner Sophie. Sandra enters the office.

Bernard
Sandra, vous connaissez Sophie Landrieux, ma secrétaire?

Sandra, do you know Sophie Landrieux, my secretary?

Sandra
Bien sûr! Bonjour Sophie!

Naturally! Good morning Sophie!

Sophie
Cela me fait plaisir de vous voir à Paris! Quelle heure est-il? Neuf heures moins dix? Nous avons encore le temps de bavarder un peu. Je prends un café et vous? Je suis depuis six heures et quart!

I'm pleased to see you in Paris! What time is it? Ten to nine? We've time for a quick chat. I'll have a coffee, what about you? I've been up since a quarter past six! debout

Sandra
Six heures et quart! Et on dit que les français se lèvent tard!

A quarter past six! And everyone says that the French are late risers!

Sophie
Eh bien, le réveil sonne à six heures et quart, je me lève la première. Je prends tout de suite une douche, ensuite je prépare le petit déjeuner, après je m'habille.

Oh well, the alarm went off at a quarter past six and I am the first to get up. I have a shower straight away and then I make the breakfast and then I get et dressed.

Sandra
Je réveille nos enfants à sept heures cinq. Nous prenons toujours le petit déjeuner ensemble. A huit heures moins quart, nous quittons la maison.

I wake the children at five past seven. We always have breakfast together. We leave the house at a quarter to eight.

Sophie

Mon mari a de la chance: nous habitons à deux pas de l'hôpital où il travaille. Moi, je dépose nos enfants à la maternelle, puis je fonce jusqu'à la gare.

My husband is lucky: we live very close to the hospital where my husband works. I drop the children off at the pre-school nursery school and then I dash off to the railway station.

Sandra

"Je fonce", qu'est-ce que cela veut dire?

"Je fonce", what does that mean?

Sophie

Pardon! Cela veut dire que je me dépêche pour arriver à l'heure en voiture à la gare.

Sorry! It means that I dash off to get to the railway station on time in the car.

Sandra

Vous n'allez pas au bureau en voiture?

You don't drive to the office?

Sophie

Oh non, je ne prends pas ma voiture. C'est tellement compliqué pour garer la voiture ici en plein centre-ville! Les embouteillages m'énervent!

Oh no, I don't drive the car here. It is too difficult to find a parking space here in the city! The traffic jams get on my nerves!

Sandra

Alors, comment faites-vous?

What do you do then?

Sophie

J'arrive à la gare vers huit heures moins cinq, je gare ma voiture au parking et j'ai un train à huit heures sept. Si je le rate, je peux prendre le suivant à huit heures quatorze. J'arrive à la gare de l'Est et je mets cinq minutes à pied pour être au bureau.

I get to the railway station at about five to eight, park the car at the station car park and take the 8.07 train. If I miss that one, I can take the one at 8.14. I arrive at the "Gare de l'Est" and it takes about five minutes on foot to the office.

Sandra

Vous faites une pause à l'heure du déjeuner?

Do you have a lunch break?

Sophie

Ça dépend! Si j'ai des courses à faire, je sors une demi-heure. Les magasins sont juste à côté. Mais en général, nous restons tous au bureau et nous grignotons quelque chose.

It all depends! If I have to buy something, then I go out for half an hour. The shops are right next door. But generally we all stay in the office and have a snack.

Sandra
A quelle heure est-ce que vous
finissez de travailler le soir?

What time do you finish work in the
evenings?

Sophie
En principe, je finis vers six heures.
Je rentre chez moi vers sept heures
et demie du soir. Quand j'arrive,
les enfants sont déjà en pyjama.
Nous avons une voisine qui est à la
retraite et garde nos garçons
jusqu'à mon retour: Elle prépare
aussi le dîner. Mon mari rentre
vers huit heures.

Normally I finish at about six in the
evening. I usually get home at about
half past seven. When I get home, the
children are ready for bed. We have a
neighbour who is a pensioner who
looks after the children until I get back.
She also cooks the dinner. My husband
comes home at about eight o'clock.

Sandra
Et le soir, restez-vous à la maison
ou sortez-vous quelquefois?

Do you stay in in the evenings or do you
sometimes go out?

Sophie
En semaine, c'est simple: quand les
enfants sont au lit, nous discutons
un peu, nous regardons la télé, mais
très souvent je suis si fatiguée que
je vais au lit assez tôt. Je feuillette
quelques magazines, les journaux
bien je lis un bouquin et ...

During the week it's very simple: once
the children are in bed, we chat a bit,
watch some television, but I am usually
so tired I that I go to bed quite early. I
leaf through some magazines, the
newspaper or I read a book, and ...

Sandra
Pardon, je n'ai pas compris:
vous lisez ...?

Sorry, I don't understand that: you
read ...?

Sophie
Un bouquin, je veux dire un livre!
Et vers dix heures et demie, j'éteins
la lampe et je m'endors très vite.

A book (un bouquin), a book (un livre)!
And at about half past ten I switch off
the light and fall asleep very quickly.

Bernard
Mesdames, le directeur est là,
vous venez?

Ladies and gentlemen, the director
is here! Are you coming?

EXERCICES

Instructions: You will hear a question or a request which you should answer after the tone in the pause.
You will then hear the correct answer.
You can then compare your answer with the correct answer.

There is an example for each exercise.

CD2 Exercice 1
TOP 3

Answer the questions using the time.
Add half an hour to the times in your answers.

 Example:

Voix: ***Vous prenez votre petit déjeuner***
à six heures du matin ou plus tard?

Vous: ***Je prends mon petit déjeuner***
à six heures et demie.

Voix: ***Je prends mon petit déjeuner***
à six heures et demie.

Vous: ***Je prends mon petit déjeuner***
à six heures et demie.

A vous — and now you:

1. Vous prenez votre petit déjeuner
   à six heures du matin ou plus tard?
   Je prends mon petit déjeuner
   à six heures et demie.

   Do you have breakfast at half past
   six or later?

2. Vous quittez votre appartement
   à sept heures moins le quart ou
   plus tard?
   Je quitte mon appartement
   à sept heures et quart.

   Do you leave your flat at a quarter
   to seven or later?

3. Vous prenez le train à sept heures
   dix ou plus tard?
   Je prends mon train à
   huit heures moins vingt.

   Do you take the 7.10 train
   or a later one?

4. Vous commencez votre travail
   à huit heures ou plus tard?
   Je commence mon travail
   à huit heures et demie.

   Do you start work at: eight in the
   morning or later?

5. Vous déjeunez à midi et quart
   ou plus tard?
   Je déjeune à une heure moins le quart.

   Do you have lunch at midday or
   later?

6. Vous finissez votre travail à
   quatre heures et demie de
   l'après-midi ou plus tard'?
   Je termine mon travail à
   cinq heures de l'après-midi.

   Do you finish work at 4.30 in the
   afternoon or later?

7. Vous êtes chez vous à six heures
   vingt-cinq du soir ou plus tard?
   Je suis chez moi à sept heures
   moins cinq du soir.

   Are you at home at 18.25 or later?

CD2 **Exercice 2**

Answer the following questions using the direct pronouns (le/la/les) in
your answers.

 Example:

Voix: ***Vous commencez votre journée
à six heures et quart du matin?***

Vous: ***Oui, je la commence
à six heures et quart du matin.***

Voix: ***Oui, je la commence
à six heures et quart du matin.***

Vous: ***Oui, je la commence
à six heures et quart du matin.***

 A vous - and now you:

1. Vous commencez votre journée
   à six heures et quart du matin?
   ***Oui, je la commence à six heures
   et quart du matin.***

   Does your day start at a
   quarter past six?

2. A quelle heure est-ce que vous
   réveillez vos enfants?
   ***Je les réveille à sept heures
   cinq du matin.***

   What time do you wake your
   children?

3. Vous prenez le petit déjeuner
   avec votre famille?
   Oui, je le prends avec ma famille.

   Do you have breakfast
   together with your family?

4. Vous conduisez vos enfants
   à 1'école?
   Oui, je les conduis à l'école.

   Do you drive your children to
   school?

5. Vous prenez votre voiture pour
   aller au bureau?
   Non, je ne la prends pas.

   Do you take the car to get to
   the office?

6. Est-ce que vous faites vos courses
    à l'heure du déjeuner?
    Oui, je les fais à l'heure du déjeuner.

    Do you do the shopping in
    your lunch break?

7. Vous regardez toujours la
    télévision le soir?
    Non, je ne la regarde pas toujours.

    Do you always watch TV in
    the evenings?

D2 Exercice 3

op 5

**In this lesson you have learned the third way of forming a question.
Now try to alter the following questions.**

 Example:

Voix: ***Vous connaissez. Madame Reiter?***

Vous: ***Connaissez-vous Madame Reiter?***

Voix: ***Connaissez-vous Madame Reiter?***

Vous: ***Connaissez-vous Madame Reiter?***

 A vous – and now you:

1. Vous connaissez Madame Reiter?
    Connaissez-vous Madame Reiter?

    Do you know Madame Reiter?

2. Est-ce que vous voulez un café?
    Voulez-vous un café?

    Would you like a coffee?

3. 11 est quelle heure?
    Quelle heure est-il?

    What time is it?

4. Combien de temps est-ce que
    vous mettez pour aller au travail?
    ***Combien de temps mettez-vous
    pour aller au travail?***

    How long does it take you to get to
    work?

5. Quel bus est-ce qu'il faut prendre
    à votre bureau?
    Quel bus faut-il prendre pour
    arriver à votre bureau?

    Which bus do you have to
    take to get to your office?

6. Vous travaillez jusqu'à quelle
    heure le vendredi?
    Jusqu'à quelle heure travaillez-vous
    le vendredi?

    How long do you work
    on Fridays?

7. Vous sortez en semaine?
    Sortez-vous en semaine?

    Do you go out during the week

GRAMMAIRE

Time - L'heure

Quelle heure est-il?

Il est une heure	It is one o'clock.
Il est une heure dix	It is 10 past 1.
Il est deux heures	It is 2 o'clock.
Il est deux heures **et** quart	It is a quarter past two.
Il est trois heures **et** demie	It is half past three.
Il est quatre heures **moins** vingt-cinq	It is three thirty-five.
Il est quatre heures **moins** le quart	It is a quarter to four.
Il est quatre heures **moins** cinq	It is 5 to four.
Il est midi	It is 12 noon.
Il est minuit	it is midnight.
A quelle heure est-ce que tu rentres?	What time are you coming home.
Je rentre à huit heures	I come home at eight o'clock.

In comparison to English, in French the "heures" as in **"deux heures"** are written in the plural.
The half hour remains the same as in English:

Il est **deux** heures **et demie.**	It is half past two.
Il est **trois** heures moins vingt-cinq.	It is two thirty-five.

The times of the day are **"du matin"**, **"de l'après-midi"** or **"du soir"** are also used:

Il est six heures dix **du matin.**	It is 10 past 6 in the morning.
Il est huit heures moins dix **du soir.**	It is 10 to 8 in the evening.
Il est une heure **du matin.**	It is 1 in the morning.

The Accusative Pronouns - Les pronoms directs

The **accusative pronouns** have the same form as the definite article and are as follows: **"le"**, **"la"** and **"les"**. They represent persons and objects and come **before** the verb. Should the verb begin with a vowel or a silent h, they are shortened.

Vous achetez mon ticket pour le RER?	Oui je l'achète.
You are buying my RER tickets?	Yes, I'm buying them.
Où est-ce que vous garez la voiture?	Je **la** gare au parking.
Where are you parking the car?	I'm parking it in the carpark.

Qui garde <u>vos enfants</u>?	C'est rna voisine qui **les** garde.
Who looks after your children?	My neighbour looks after them.

The Reflexive Verbs – Les verbes pronominaux

As with the objective pronouns, the reflexive pronouns **me, te, se, nous, vous, se** come before the conjugated verb.

Example: *se dépêcher* (hurry)

je	**me**	dépêch**e**	I hurry.
tu	**te**	dépêch**es**	You hurry
il/elle/on	**se**	dépêch**e**	He/she/one hurries.
nous	**nous**	dépêch**ons**	We hurry.
vous	**vous**	dépêch**ez**	You hurry.
ils/elles	**se**	dépêch**ent**	They hurry.

Imperative	dépêche -toi!
	dépêchons-nous!
	dépêchez-vous!

In the negative form, the reflexive pronoun and the conjugated verb are enclosed by the two parts of the negative.

Je **ne me dépêche pas.**	I don't hurry.

The Irregular Verbs "*connaître*" and "*faire*" – Les verbes irréguliers "*connaître*" et "*faire*"

Infinitif	**connaître** (know)	Infinitif	**faire** (do)
je	**connais**	je	**fais**
tu	**connais**	tu	**fais**
il/elle/on	**connaît**	il/elle/on	**fait**
nous	**connaissons**	nous	**faisons**
vous	**connaissez**	vous	faites
ils/elles	**connaissent**	ils/elles	font
Imperative	connais!	**Imperative**	fais!
	connaissons!		faisons!
	connaissez!		faites!

Attention:
All verbs which have an "î" before the t in the infinitive retain these "accent circonflexe" in the 3rd person singular.
    connaître – il connaît
    paraître – il paraît (apparaître)

FRANCE PRATIQUE

Le travail et les Français

Normally the French start work at about the same time as in England when they work in offices. There are many who live outside of Paris but work in the city, end these are known as the **"banlieusards"**. Their working day is described by the expression: **"métro, boulot, dodo"** (tube, work, sleep). **"Boulot"** is slang for **"travail'**, **"dodo"** is "dormir" in baby talk.

The French work either **"à plein temps"** (full time), **"à mi-temps"** (half days) or **"à temps partiel"** (part time).

Those with young children take them either to **"la crèche"** or to a nanny, **"une nourrice"**.

3/4 of those in France have lunch at home. The others eat in either their firm's **"cantine/cafétéria"**, in a **"café"**; a **"brasserie"** or in a **"restauration rapide"** (fast food).
Attempts are being made to develop **"télétravail"**; so that people can work at home.
Unfortunately, there are many in France who are **"au chômage"** (unemployed)

EXERCICE ÉCRIT

Put the following sentences into the right order and conjugate the verbs.

Start with: "le matin, je ... me lève ... (se lever) à six heures et demie".

1. Mon train _____ (arriver) à la gare de Düsseldorf à 7h55.

2. Je _____(rentrer) chez moi vers 19 h15.

3. Je _____ (travailler) de 8h 30 17h30.

4. Je _____ (mettre) 10 minutes à pied pour aller de la gare au bureau.

5. Je _____ (prendre) le train pour Düsseldorf 7h20.

6. Le vendredi, je _____ (terminer) mon travail 15h00.

7. Le samedi matin, je _____ (se lever) plus tard et je _____ (faire) les courses avec ma femme.

8. A midi, je _____ (déjeuner) à la cantine de la société ou je _____ (sortir).

9. Le matin, toute la famille _____ (prendre) le petit déjeuner 7h15.

10. Ma femme _____ (se laver) la première 6h40, puis elle _____ (s'habiller) et après elle _____ (aller) dans la cuisine et _____ (préparer) le petit déjeuner.

11. Nous _____ (ne pas se coucher) avant minuit le samedi soir.

Solutions : 1- arrive, 2- rentre, 3- travaille, 4- mets, 5- prends, 6- termine,7- me lève / fais, 8-déjeune / sors, 9- prend, 10- se lave / s'habille / va / prépare, 11- ne nous couchons pas

CD2 In this lesson you will learn:

TOP 7

— to ask about people's hobbies
— to say what you like and don't like so much

Learn the following expressions:

Quels sont vos passe-temps favoris?	What are your hobbies?
Je fais des promenades.	I like to go for walks.
Vous jouez d'un instrument de musique?	Do you play an instrument?
Je joue du piano, de la guitare, de la flûte.	I play the piano, the guitar and the flute.
Vous faites du sport?	Do you play any sports?
Qu'est-ce que vous faites comme sport?	Which sports do you play?
Je joue au tennis, au football.	I play tennis and football.
Je fais du ski, de la planche à voile.	I ski and I surf.
Vous aimez la natation?	Do you like swimming?
Je déteste l'équitation.	I hate riding.
On peut sortir, si vous voulez!	We can go out if you like!
Vous logez à quel hôtel?	Which hotel are you staying at?

D2 DIALOGUE
ɔP 8

Contents :

After having first discussed the business, Sandra talks to Sophie about her hobbies.
They talk about their main hobbies (including those of the spouse): going out for meals, sport, culture and the cinema. Finally they agree to go to the cinema together.

Les loisirs

Narrateur
La première réunion est terminée. Sophie et Sandra discutent de leurs loisirs.

After having first discussed the business Sophie and Sandra talk about their hobbies.

Sophie
Quels sont vos passe-temps favoris?

What are their favourite hobbies?

Sandra
Est-ce que vous pouvez m'expliquer? Je ne comprends pas très bien.

Could you explain that please? I don't understand particularly well.

Sophie
Qu'est-ce que vous faites quand vous avez du temps libre?

What do you do in your free time?

Sandra
Mon mari et moi, nous faisons souvent des promenades. Vous savez, en Bavière, il y a beaucoup de forêts! Sinon, quand je suis à la maison, je joue du piano,un tout petit peu de guitare et je cuisine. J'adore faire la cuisine, surtout la cuisine française.

My husband and I often go for walks. Did you know that there are lots of woods in Bavaria? Otherwise when I am at home, I play the piano and a bit of guitar, and I cook. I love cooking, especially French cuisine.

Sophie
Quels sont vos plats favoris?

What do you like most?

Sandra
J'aime faire tous les plats en sauce, par exemple le coq au vin ou le boeuf bourguignon et puis j'adore faire de la pâtisserie. Vous savez, mon mari adore manger!

I especially like recipes with sauces, for example "Coq au vin" or "Boeuf bourguignon", and I also like baking You know, my husband loves to eat!

Sophie
Et il fait aussi la cuisine? | And does he cook himself?

Sandra
Oh non, lui, il préfère le sport. | Oh no, he prefers sports.

Sandra
Quel est son sport favori? | What's his favourite form of sport?

Sandra
C'est difficile à dire. En été, il joue au tennis avec un ami une fois par semaine après son travail. Il fait du vélo le samedi matin. Quand nous sommes en vacances, il fait aussi de la planche à voile: c'est sa nouvelle passion. Moi, je n'aime pas du tout ça. Je préfère nager avec nos filles, mais pas à la piscine, seulement à la mer. Et vous, qu'est-ce que vous faites? Vous jouez d'un instrument de musique? | That's hard to say. In the summer he plays tennis once a week after work with a friend. Saturday mornings he cycles. When were on holiday, he also surfs: that's his new fad. I don't like it at all. I prefer to go swimming with our two daughters, but not in the pool, only in the sea. What about you? Do you play a musical instrument?

Sandra
Malheureusement, non! Mais mon mari joue de la guitare. | No, unfortunately. But my husband plays the guitar.

Sandra
Vous faites du sport? | Do you play any sports?

Sandra
Oui, je fais du tennis quand il fait beau: nous avons le court de tennis municipal juste derrière chez nous. Je fais aussi de l'aérobic dans un centre pas très loin du bureau. J'y vais une fois par semaine à l'heure du déjeuner. Le samedi après-midi, nos garçons font du cheval avec leurs camarades dans un centre d'équitation. Moi, je fais du cheval avec eux quand je ne suis pas trop fatiguée. | Yes, I play tennis when the weather is good. There's a council tennis court right behind our house. I also do aerobics at a studio close to the office. I go there once a week in the. lunch break. On Saturday afternoons the children go riding at a centre. If I'm not too tired, I ride with them.

Sandra
Et votre mari, il en fait aussi? | Does your husband ride too?

Sandra
Non, il déteste l'équitation.
Il préfère le V.T.T.

No, he hates riding.
He prefers to ride the V.T.T.

Sandra
Qu'est-ce que c'est?

What's that?

Sophie
C'est le vélo tout terrain! Il adore
aussi le football: il y joue tous les
samedis après-midis et il s'entraîne
tous les mardi soirs. En hiver, nous
prenons toujours une dizaine de
jours de congé pour faire du ski
dans les Alpes.
Nous partons en général en février
quand les enfants ont leurs vacances
scolaires. Je suppose que vous faites
du ski en Bavière; c'est la région
idéale! i

Its a mountain bike. He also
enjoys playing football: every
Saturday afternoon he plays.
He goes to training every
Tuesday evening. In winter
we always take ten days
holiday to go skiing in the
Alps. Normally we go in
February, during the
children's holidays. I bet you
go skiing in Bavaria: it's the
deal ski area!

Sandra
Non, j'ai horreur de ça! En hiver,
mes filles partent souvent avec leur
père faire du ski pendant le week-
end, et moi je reste à la maison!

No, I think it's terrible!
In winter my daughters often go
off skiing for a weekend with
their father and I stay at home!

Sophie
Vous ne vous ennuyez pas?

Don't you get bored?

Sandra
Oh non, je ne m'ennuie pas du tout!
Je vais voir des amies, je me rends
à des expositions, je vais au cinéma,
au théâtre. J'adore voir les nouveaux
acteurs, les nouvelles actrices!

Oh no, I don't get bored at
all! I visit friends, go to
exhibitions, I go to the cinema
or the theatre. I like to see the
newest actors and actresses!

Sophie
Si vous voulez, on peut sortir un
soir cette semaine. Qu'est-ce que
vous préférez: aller au cinéma,
au théâtre ou â un concert?

If you like we could go out
one evening this week. What would
you prefer: to go to the cinema,
the theatre or to a concert?

Sandra
Comme vous voulez!
Vous choisissez!

Whatever you would like!
You decide!

Sophie

D'accord! Je regarde ce qu'il y a dans le "Pariscope" et je vous appelle à l'hôtel ce soir. Vous logez à quel hôtel?

All right! I'll have a look in "Pariscop-" and I'll call you this evening at the hotel. Which hotel are you staying?

Sandra

C'est l'hôtel de la Place Carnot.

At the "Hotel de la Place Carnot".

Sophie

C'est quel numéro de téléphone?

What's the telephone number?

Sandra

Oh, ça, je ne sais pas!

Oh, I don't know!

Sophie

Ce n'est pas grave: je regarde sur Minitel et je vous appelle ce soir.

That's not a problem. I'll look in "Minitel" and call you this evening.

Sandra

Il est midi et quart! Vous croyez que j'ai le temps de passer à la banque? Je doir absolument changer de l'argent!

It's a quarter past twelve! Do you think that I still have time to go to the bank? I must urgently change some money!

Sophie

Allez à la gare du Nord: il y a un bureau de change. Mais attendez, je sors avec vous, j'ai quelques courses à faire: ce soir, mon mari ramène un collègue à la maison.

Go to the "Gare du Nord", there's an exchange there. But wait a bit and I'll come with you as I must do some shopping: my husband is bringing a colleague back to our place.

EXERCICES

Instructions
You will hear a question or a request which you should answer aster the tone in the pause. You will then hear the correct answer.

You can then compare your answer with the correct answer.
There is an example for each exercise.

D2 Exercice 1
»P 9

Take on the role of Sandra and answer the following questions.

E Example:

Voix: ***Vous aimez le football?***

Vous: ***Non, je n'aime pas le football.***

Voix: ***Non, je n'aime pas le football.***

Vous: ***Non, je n'aime pas le football.***

A vous — and now you:

1. Vous aimez le football?
   Non, je n'aime pas le football.

   Do you like football?

2. Vous aimez la natation?
   Oui, j'aime la natation.

   Do you enjoy swimming?

3. Vous faites des promenades
   avec votre mari?
   Oui, je fais des promenades avec mon mari.

   Do you go for walks
   with your husband?

4. Vous faites du ski?
   Non, je ne fais pas de ski.

   Do you go skiing?

5. Votre mari fait de la planche
   à voile en été?
   Oui, il fait de la planche à voile en été.

   Does your husband go surfing in the
   summer?

6. Vous jouez d'un instrument
   de musique?
   Oui, je joue du piano et de la guitare.

   Do you play a musical
   instrument?

7. Votre mari adore faire la cuisine?
   Non, il adore manger.

   Does your husband enjoy cooking?

D2 EXERCICE

10

Take on the role of Sophie and answer the following questions with "en" or "y".

 Example:

Voix: ***Vous jouez au tennis?***

Vous: ***Oui, j'y joue.***

Voix: ***Oui, j'y joue.***

Vous: ***Oui, j'y joue.***

 A vous – and now you:

1. Vous jouez au tennis? Do you play tennis?
   Oui,j'y joue.

2. Vous faites de l'aérobic? Do you do aerobics?
   Oui j 'en fais.

3. Vous allez dans un studio de Do you go once a week to a
   sport une fois par semaine? fitness centre?
   Oui j'y vais une fois par semaine.

4. Votre mari joue au football Does your husband play
   le dimanche? football on Sundays?
   **Non, il n'y joue pas le dimanche
   il y joue le samedi.**

5. Quand est-ce que vos enfants When do your children
   font du cheval? go riding?
   **Mes enfants en font le
   samedi après-midi.**

6. Votre mari fait du cheval? Does your husband go riding?
   Non, il n'en fait pas.

7. Vous allez dans les Alpes pour Do you go skiing in the
   faire du ski avec votre famille? Alps with your family
   Oui, nous y allons pour faire du ski.

CD2 Exercice 3
TOP 11

Ask further questions using "quel/quelle/ quels/quelles".

 Example:

Voix: *On fait un plat en sauce ce soir?*

Vous: *Oui, quel plat en sauce est-ce qu'on fait?*

Voix: *Oui, quel plat en sauce est-ce qu'on fait?*

Vous: *Oui, quel plat en sauce est-ce qu'on fait?*

 A vous — and now you:

1. On fait un plat en sauce ce soir?   Are we making a sauce
   Oui, quel plat en sauce   recipe this evening?
   est-ce qu'on fait?

2. On va nager à la piscine?   Are we going swimming
   Oui, à quelle piscine   at the swimming pool?
   est-ce qu'on va nager?

3. On regarde un film à la télévision?   Shall we watch a film on television?
   Oui, quel film est-ce qu'on regarde?

4. On écoute de la musique?   Shall we listen to some music?
   Oui, quelle musique est-ce qu'on écoute?

5. On va dans un studio de sport   Shall we go to the fitness
   pour faire de l'aérobic?   centre to do some aerobics?
   **Oui, dans quel studio de sport
   est-ce qu'on va?**

6. On sort avec des amis dimanche?   Shall we go out with friends on Sunday?
   **Oui, avec quels amis est-ce qu'on
   sort dimanche?**

7. On loge à l'hôtel?   Shall we stay in a hotel?
   Oui, à quel hôtel est-ce qu'on loge?

GRAMMAIRE

The Interrogative "quel" – Le mot intérrogatif "quel"

The interrogative "quel" means "which". It is used according to the number and gender of the noun(s) it defines:

	masculine	feminine
singular	**quel**	*quelle*
plural	**quels**	*quelles*

Quel hôtel est près de la gare?
Which hotel is close to the station?

Quelle fille aimes-tu?
Which girl do you like?

Quel est ton nom?
What's your name?

Quel pantalon veux-tu acheter?
Which trousers would you like to you buy?

Quelles régions de France connais-tu.
Which regions of France do you know?

Quelle est ton adresse?
What's your address?

When used with the verb **être**, "quel" still takes on the number and gender of the noun

Quels sont tes passe-temps favoris?
What are your favourite hobbies?

Quelles **sont** les régions du nord?
Which regions are in the north?

Quel est le musée que tu préfères?
Which museum do you like best?

Quelle est ta chanteuse préférée?
Who is your favourite female singer?

The Adverbial Pronouns "en" and "y" — Les pronoms adverbiaux "en"et "y"

The adverbial pronoun *"en"* can replace *"de"*
(e.g.: **faire *du* cheval, parler *de*** etc.).
It comes before the conjugated verb.

Tu fais **du ski?**	Non, je n'**en** fais pas.
Do you ski?	No, I don't ski.
Tu viens **de Paris?**	Oui, j'**en** viens.
Do you come from Paris?	Yes, I come from there.

The adverbial pronoun "y" replaces directions which are formed with *"à" "en"*
and *"dans"* e.g. à Paris, en France, dans le septième arrondissement:

Tu vas **dans un centre de sport?**	Oui, j'**y** vais une fois par semaine.
Tu vas **à Paris?**	Oui, j'**y** vais.
Tu habites **en France?**	Oui, j'**y** habite.

FRANCE PRATIQUE

"Visiting": In France one visits a museum, an exhibition, a town: **nous visitons un musée, une exposition, une ville.**
However, one does not visit an aunt, but one pays her a visit: **"je vais voir ma tante"** or the very formal call upon their aunt: **je rends visite à ma tante qui est à l'hôpital.**
In exactly the same way, one does not visit the school: **mon fils va au lycée** and not **il visite un lycée.**

Une dizaine de jours de congés: To translate the expression "something + time", use either **environ huit jours** or **une huitaine de jours.**

You need only add the ending **"-aine"** to the following expressions:

> **huit:** une huitaine de ...
> **dix:** une dizaine de ...
> **douze:** une douzaine de ...
> **quinze:** une quinzaine de .... (fortnight = "quinze jours" ou "deux semaines")
> **vingt:** une vingtaine de ...
> **trente:** une trentaine de ...
> **quarante:** une quarantaine de ...
> **cinquante:** une cinquantaine de ....
> **soixante:** une soixantaine de ...
> **cent:** une centaine de ...

For "about a thousand" one says: **un millier de...**

EXERCICE ÉCRIT

Form sentences out of the following words:

Example: Je / les Alpes / Pâques / ski / faire: Je fais du ski dans les Alpes à Pâques.

1. Elle / aller / aérobic / deux / par/ fois / faire / semaine: Elle va faire de l'aérobic deux fois par semaine.

2. Quand / temps / guitare/ avoir/ je x2 / jouer: Quand j'ai le temps, je joue de la guitare.

3. Mes / adorer / cinéma / leur / filles/ aller/ avec / père: Mes filles adorent aller au cinéma avec leur père.

4. Mari / été / planche à voile / mon / toujours / faire: Mon mari fait toujours de la planche à voile en été.

5. Ski / faire x 2 / vous / ? / non / je / ne ... pas / en: Faites-vous du ski? Non, je n'en fais pas.

6. Quand / jouer x 2 / matin / football / y / il / est-ce que / le samedi / votre/?/mari: Quand est-ce que votre mari joue au football? Il y joue le samedi matin .

7. Août / garçons / faire / un centre d' équitation / nos / cheval / dans / en: En août nos garçons font du cheval dans un centre d'équitation.

LEÇON 7
Je voudrais changer de l'argent

CD2 In this lesson you will learn:

- how to exchange currency;
- how to buy stamps;
- how to send letters at the post office

Learn the following expressions:

Je voudrais changer de l'argent.	I would like to exchange some currency.
Vous souhaitez changer combien?	How much would you like to exchange?
Vous avez une pièce d'identité?	Do you have any identification?
Vous avez quelque chose pour écrire?	Do you have something to write with?
Je peux retirer de l'argent au distributeur?	Can I withdraw money at a dispenser?
Pourriez-vous me dire s'il y a ...?	Can you tell me whether ...?
J'ai besoin de trois timbres.	I need three stamps.
Je voudrais envoyer ce paquet en recommandé.	I would like to send this parcel by registered post.
Je vous dois combien?	How much is that?
Ça fait dix-sept euros cinquante centimes en tout.	That comes to 17.50€ altogether.

D2 Dialogue

Contents:
Sandra goes to the bank to exchange some money. She is directed to the right counter and exchanges some money and cashes a traveller's cheque. She asks about withdrawing money from a cash dispenser. She then asks about the Post Office, where she buys some stamps and sends a parcel. Finally, she buys a telephone card.

À la banque et à la poste

Sandra
Bonjour, monsieur!

Good morning!

Bank clerk
Bonjour, madame, vous désirez?

Good morning. How can I help?

Sandra
Je voudrais changer de l'argent anglais.

I would like to exchange some English currency.

Bank clerk
Bien sûr. Vous souhaitez changer combien?

Certainly. How much would you like to exchange?

Sandra
J'ai 100 £ en liquide et je voudrais toucher un chèque de voyage.

I have a hundred Poundsin cash and I would like to cash a traveller's cheque.

Bank clerk
Vous avez une pièce d'identité?

Do you have any identification?

Sandra
Oui, j'ai ma carte d'identité. La voici!

Yes, my identity card. There you are.

Bank clerk
Merci. Un instant, je vérifie le change pour aujourd'hui. Alors, ça fait 192€. Vous signez en bas, s'il vous plaît.

Thank you. Just a moment, I will check the exchange rate. That is 192€. Please sign here.

Sandra
Euh... Vous avez quelque chose pour écrire, s'il vous plaît?

Oh..., do you have something to write with?

Bank clerk

Un instant ... Voici un stylo.	Just a second... Here's a pen
Vous voulez votre argent comment?	How would you like your money?

Sandra

Pardon? Je ne comprends pas.	Pardon? I don't understand.

Bank clerk

Vous préférez des coupures de	Would you prefer one, ten
10, 20, 50 € ?	twenty or fifty euros notes?

Sandra

Si c'est possible, j'aimerais des	I would prefer twenty euros
billets de 20€	notes if possible.

Bank clerk

Alors 20, 40, 60, 80, 100 et 90	So: 20, 40, 60, 80,100 and 90
qui font 190 euros. Voilà votre	that's 190 euros. There you are,
argent, madame, et votre reçu.	your money and your receipt.

Sandra

Merci. Je voudrais aussi savoir si je	Thank you. Can you also tell me if
peux retirer de l'argent au distri-	I can withdraw cash from the cash
buteur automatique avec ma carte.	dispenser with my card?

Bank clerk

Vous avez une carte, de crédit, Visa	You have a credit, Visa card,
alors il n'y pas de problème.	so there isn't any problem.

Sandra

Merci. Encore une question:	Thank you. I have another
Pourriez-vous me dire s'il y a une	question: can you tell me
poste près d'ici? Je voudrais envoyer	whether there is a post office
un paquet.	near from here? I want to send a parcel

Bank clerk

Oui, bien sûr. Quand vous sortez,	Yes, of course. Turn right,
tournez à droite, traversez le	when outside, cross over
carrefour et vous avez la poste.	the crossing and you will see the post
C'est à 200 mètres d'ici.	office. It's about 200 metres from here.

Sandra

Merci. Au revoir!	Thanks. Goodbye!

Narrateur
Sandra entre à la poste.

Sandra goes to the post office.

Sandra
Bonjour, madame

Good morning!

Employee
Bonjour, vous désirez?

Good morning. How can I help you?

Sandra
J'ai besoin de huit timbres, trois pour
la France et cinq pour l'Allemagne;
c'est pour des cartes postales.

I need eight stamps, three for France
and five for Germany, and they
are for postcards.

Employee
C'est le même tarif. Ça fait huit
timbres à un euro. Voilà!

They cost the same. That's eight one
euro stamps. There you are!

Sandra
Oh, vous n'avez pas de timbres
de collection?

Oh, you don't have any
special edition stamps?

Employee
Attendez ... Voilà.
Alors, trois fois huit...
Ça fait huit euros , madame.

Wait a moment... Here you
are. So three times eight
is... That's 8 euros.

Sandra
Je voudrais aussi envoyer
ce paquet. Il faut aller à un
autre guichet?

I also want to send this parcel.
Do I have to go to another counter?

Employee
Non, ce n'est pas nécessaire. Vous
voulez envoyer votre paquet avec le
tarif ordinaire ou en recommandé?

No, that's not necessary. Do you want
to send it at the normal rate or per
registered post?

Sandra
Je ne sais pas.

I don't know.

Employee
Votre paquet, c'est important ce
qu'il y a dedans?

Is there anything important
in this parcel?

Sandra
C'est un cadeau pour ma soeur
pour son anniversaire.

There's a birthday present
for my sister.

Employee
Je vous conseille d'envoyer le
paquet en recommandé.
Remplissez cette fiche,
s'il vous plaît. Alors les timbres
plus le paquet, ça fait onze euros
cinquante en tout.

I would recommend that
you send the parcel by
registered post. Please fill
in this form. So, the stamps
and the parcel come to 11
euros 50 altogether.

Sandra
Excusez-moi, je peux aussi avoir
une carte de téléphone?

Excuse me, can I have also
a telephone card?

Employee
Oui, vous voulez combien d'unités:
50 ou 120 unités?

Yes, how many units, 50 or
120?

Sandra
Une carte de 50 unités, ça suffit.
Elle coûte combien?

A card with 50 units will be
enough. How much does it cost?

Employee
Six euros.

Six euros.

Sandra
Je vous dois combien?

How much does that come to?

Employee
Dix sept euros cinquante, s'il vous plaît!   Seventeen euros fifty, please.

EXERCICES

Instructions: You will hear a question or a request which you should answer after the tone in the pause.

You will then hear the correct answer. You can then compare your answer with the correct answer.

There is an example for each exercise.

D2 Exercice 1

15

We have already practised the numbers in Lesson 2. Now we will do some maths.

E Example:

Voix: ***Trois timbres à 0,50 euros ...***

Vous: ***Ça fait 1,50 euros.***

Voix: ***Ça fait 1,50 euros***

Vous: ***Ça fait 1,50 euros.***

A vous — and now you:

1. Trois timbres à 0,50 euros...
   Ça fait 1,50 euros.

   3 stamps for 0,50 euros...

2. Deux timbres à 0,50 euros
   et un paquet en recommandé
   à 8 euros...
   Ça fait 9 euros.

   2 stamps for 0,50 euros and
   a parcel by registered post for
   8 euros...

3. Deux cartes postales à 1 euro
   et une carte postale à 2 euros
   Ça fait 3 euros.

   2 post cards for 1 euro
   and post card for 2 euros...

4. Une télécarte à 6 euros et
   12 timbres à 0,50 euros...
   Ça fait 12 euros.

   A telephone card for 6 euros and
   12 stamps for 0,50 euros.

5. Une bière à 2 euros et un
   thé au citron à 1,30 euros ...
   Ça fait 3,30 euros.

   A beer for 2 euros and
   lemon tea for 1,30 euros ...

6. Deux cafés à 1 euro et un
   sandwich à 4 euros...
   Ça fait 6 euros.

   Two coffees for 1 euro and a
   sandwich for4 euros.

7. Quatre jus d'orange à 2 euros
   Ça fait 8 euros.

   4 orange juices for 2 euros ...

D2 Exercice 2

 Example:

Voix: **J'ai soif.**

Vous: **Pourriez-vous me dire s'il y a un café près d'ici?**

Voix: **Pourriez-vous me dire s'il y a un café près d'ici?**

Vous: **Pourriez-vous me dire s'il y a un café près d'ici?**

 A vous — and now you:

1. J'ai soif.
   Pourriez-vous me dire s'il y a un café près d'ici?
   I'm thirsty.

2. J'ai besoin de dix timbres.
   Pourriez-vous me dire s'il y a une poste près d'ici?
   I need 10 stamps.

3. J'ai besoin d'argent.
   Pourriez-vous me dire s'il y a une banque près d'ici?
   I need some money.

4. Je voudrais téléphoner avec ma télécarte.
   Pourriez-vous me dire s'il y a une cabine téléphonique près d'ici?
   I would like to phone with my telephone card.

5. Je voudrais faire du cheval.
   Pourriez-vous me dire s'il y a un centre d'équitation près d'ici?
   I would like to ride.

6. Je voudrais nager.
   Pourriez-vous me dire s'il y a une piscine près d'ici?
   I would like to go swimming.

7. Je voudrais aller voir un film maintenant.
   Pourriez vous me dire s'il y a un cinema près d'ici?
   I would like to go and watch a fim now.

CD2 Exercice 3

TOP 17

 Example:

Voix: **On prend une bière dans quel café?**

Vous: **On prend une bière dans ce café.**

Voix: **On prend une bière dans ce café.**

Vous: **On prend une bière dans ce café.**

 A vous — and now you:

1. On prend une bière dans quel café?
   On prend une bière dans ce café.

   In which café shall we drink a beer?

2. Je vais à quelle banque?
   Vous allez à cette banque.

   Which bank shall I go to?

3. Vous faites du sport dans quel studio?
   Je fais du sport dans ce studio.

   In which fitness studio do you do train?

4. Il joue au football avec quels amis?
   Il joue au football avec ses amis.

   With which friends does he play football?

5. Je remplis quelle fiche?
   Vous remplissez cette fiche.

   Which form do I fill out?

6. Pour téléphoner, je prends quelle carte?
   Pour téléphoner, vous prenez cette carte.

   Which card do I use to phone?

7. Je traverse quelle place?
   Vous traversez cette place.

   Which square do I cross?

GRAMMAIRE

The Numbers from 20 to 100 – les nombres de 20 à 100

20	vingt	30	trente
21	vingt et un	31	trente et un
22	vingt-deux	32	trente-deux
23	vingt-trois	33	trente-trois
24	vingt-quatre	34	trente-quatre
25	vingt-cinq	35	trente-cinq
26	vingt-six	40	quarante
27	vingt-sept	50	cinquante
28	vingt-huit	60	soixante
29	vingt-neuf	69	soixante-neuf

The numbers from 69 onwards are formed after the same rule: The 1 in 31 and 51 etc., are joined with "et" to the decimal.
The numbers 2 – 9 are joined with a dash to the decimal.

vingt **et** un   **but**   vingt-trois;

Attention: With the numbers 21; 31; ... ; 61 after a feminine noun there comes an "une" instead of an "un".

vingt et **un** garçons   but   vingt et **une** filles.

An exception are those numbers after 70. This is due to the Gauls who counted in steps of 20:

70	soixante-dix	80	quatre-vingts
71	soixante et onze	81	quatre-vingt-un
72	soixante-douze	82	quatre-vingt-deux
73	soixante-treize	83	quatre-vingt-trois
74	soixante-quatorze	84	quatre-vingt-quatre
75	soixante-quinze	85	quatre-vingt-cinq
76	soixante-seize	86	quatre-vingt-six
77	soixante-dix-sept	90	quatre-vingt-dix
78	soixante-dix-huit	91	quatre-vingt-onze
79	soixante-dix-neuf	99	quatre-vingt-dix-neuf
		100	cent
		101	cent un
		110	cent dix
		200	deux cents
		223	deux cent vingt-trois

The number 71 is especially odd: it consists of soixante et onze (60 and 11). The numbers vingt and cent receive an "s" in the plural, when not followed by another number.
Between tens and single figures there is a dash.

The Demonstrative Adjective — Les adjectifs démonstratifs

The demonstrative adjectives are those adjectives which point to a particular person or adjective. They are formed according to the number and gender of the object they describe.

	masculine	feminine
singular	ce, cet	cette
plural		ces

When the masculine noun begins with a vowel or a silent h, cet is used instead of ce.

Ce garçon est sympatique. This boy is nice	**Ces** garçons sont sympatiques. These boys are nice	Prends **cette** orange! Take this orange!
Cet hôtel est très petit. This hotel is small.	**Ces** hôtels sont très petits. These hotels are very small.	Regarde **cette** belle fille! Look at this beautiful girl!
Cet avion est un Concorde. This plane is a Concorde.	**Ces** filles sont jolies. These girls are very beautiful.	

The demonstrative pronoun/adjectives are to be found in certain expressions, e.g

cette année	**this** year
ce matin	**this** morning
cet après-midi	**this** afternoon
ce soir	**this** evening

The Verb *"devoir"* – Le verbe *"devoir"*

infinitive	devoir
je	doi**s**
tu	doi**s**
il/elle/on	doi**t**
nous	**devons**
vous	**devez**
ils/elles	doiv**ent**

As with the verbs **"vouloir"** and **"pouvoir"** and the expression **"il faut"** after the conjugated form of **"devoir"** there is usually an infinitive:

Je **dois** <u>aller</u> à la banque parce que je n'ai plus d'argent.
I must go to the bank (because l don't have any more money).

"devoir + noun à quelqu'un" means to owe somebody something:
"je te dois 15 euros" (I owe you 15 euros.)

FRANCE PRATIQUE

Before going to the bank, check on the opening times, **"les heures d'ouverture"**. Some banks in Paris and other large cities have longer opening times on certain days. Otherwise they are open from 9 until 16.30, Monday to Friday. In the provinces they are often open on Saturday mornings, but closed on Sunday mornings. They are also closed at lunch time.
The most famous banks are: la Société Générale, le Crédit Lyonnais, le Crédit Agricole, le Crédit du Nord, la Banque Nationale de Paris.

Banks always close earlier before a bank holiday!
In smaller towns banks have a sub-branch, **"succursale"**: it is usually difficult to change money there.
Money can be changed at large airports, large bank branches, at railway stations, at building societies (**"caisse d'épargne"**) and in bureaux de change. Please note: the cash dispensers are often empty at the weekends.

Credit cards are usually accepted everywhere. There can be problems occasionally at filling station machines and at other automatic pay machines, since it is assumed that the card has a chip (**"carte à puces"**)!

French banknotes **"les billets"** are: 10, 20 and 500 euros.
French coins are 10, 20, 50 centimes and 1 2, 5, 10 and 20 euros.

the Post Office **P.T.T.** is open Monday to Friday from 8 until 7 and Saturdays from 8 until 12.
In Paris the post office in the rue du Louvre is open 24 hours a day.

Postcards and letters (up to 20g) cost 1 euro.

"Poste restante" items sent to a town with more than one post office and without any precise instructions are deposited at the main post office ("poste centrale").

To collect post or money orders from the post, identity must be provided, usually a **"pièce d'identité"** and a fee is to be paid.

EXERCICE ÉCRIT

Can you identify the numbers?

Example:

a) 199 € = 5) cent quatre-vingt dix-neuf euros

a) 199 € — b) 46 € 55 — c) 71 € 10 — d) 304 € — e) 581 €
f) 16 € 20 — g) 803 €— h) 0 € 50 — i) 1 € 80 — j) 672 € 19

1. six-cent soixante douze euros dix-neuf

2. un euro quatre-vingt

3. quarante-six euros cinquante-cinq

4. huit cent trois euros

5. cent quatre-vingt dix-neuf euros

6. soixante et onze euros dix

7. cinquante centimes

8. trois cent quatre euros

9. cinq cent quatre-vingt un euros

10 seize euros vingt

LEÇON 8
Il vous faut autre chose?

CD2 In this lesson you will learn:

- how to buy food
- to name some items of food
- to describe quantities
- to describe the near future

Learn the following expressions:

Il me faut ...	I need ...
C'est à qui le tour ?	Who's next?
C'est à moi.	I'm next.
Les tomates sont à combien?	How much do the tomatoes cos ?
Il vous faut autre chose?	Anything else?
C'est tout.	That's all.
Ça fait combien?	How much does that cost?
Les enfants vont se régaler!	The children will love it!

D2 **Dialogue**

Narrateur
Sandra sort de la poste et voit
Sophie devant une épicerie.

Sandra comes out of the post office
and sees Sophie in front of a grocer's.

Sandra
Vous faites quelques courses pour
ce soir?

Are you shopping for this evening?

Sophie
Oui, je dois acheter une salade,
du jambon et des produits laitiers.
Vous entrez avec moi?

Yes, I have to buy a head of a lettuce,
ham and some dairy products. Do you.
want to come in with me?

Sandra
Oui, bien sûr. Nous avons encore
assez de temps?

Yes, of course. Do we still have
enough time?

Sophie
La réunion va seulement
commencer dans une demi-heure!
Bon, je vais prendre du café:
je n'en ai plus. Je vais aussi acheter
du thé en sachets, une bouteille
d'huile d'olive, un paquet de pâtes,
un petit pot de confiture à la fraise
et une tablette de chocolat aux
noisettes. Voilà, c'est fait. Il me faut
des yaourts. Je vais en prendre huit.
Ah, j'ai aussi besoin de lait
demi-écrémé.

The meeting starts first in half
an hour!
Right, I'll take some coffee, I've run
out of that. I'll get some teabags as
well, a bottle of olive oil, a packet of
pasta, a small jar of strawberry jam
and a small bar of hazelnut chocolate.
Right, that's everything. I need
yoghurt. I'll take eight of them.
Oh, I also need some low-fat
milk.

Sandra
Je vais chercher le lait. Vous en
voulez un litre ou un demi-litre?

I'll get the milk. Do you want a
whole litre or half a litre?

Sophie
Un litre, s'il vous plaît!

A litre, please!

Narrateur
Au rayon légumes.

In the fruit and vegetable department.

Epicier/Grocer
C'est à qui le tour?

Who's next?

Sophie
C'est à moi! Je voudrais une
belle salade verte, une laitue.

I'm next. I would like a nice
green lettuce, a cabbage lettuce.

Epicier
Il vous faut autre chose?

Do you need anything else?

Sophie
Ce soir, je vais faire une entrée avec
des avocats. Alors donnez-moi
trois beaux avocats bien mûrs.
Les tomates, elles sont à combien?

Tonight I'm making a starter with
avocados. Please give me three fine
very ripe avocados.
How much do the tomatoes cost?

Epicier
Je vous conseille les tomates du
Var; elles sont à 1€ le kilo.

I would recommend the tomatoes
from Var; they cost 1€ a kilo.

Sophie
D'accord, j'en prends une livre.

Alright, I'll take a pound.

Epicier
Ça fait un peu plus d'une livre;
j'en enlève une.

It is a bit more than a pound.
I'll put one back.

Sophie
Non, non, ce n'est pas grave!

No, no, that's not a problem!

Epicier
Et avec ça?

Anything else?

Sophie
On va manger une quiche, alors il
me faut du jambon de Paris.

We're having quiche, so I need some
cooked ham.

Epicier
Vous en voulez combien de tranches?

How many slices would you like?

Sophie
Trois, s'il vous plaît! C'est tout!

Three, please. That's all.

Narrateur
A la caisse.

At the check out.

Sophie
Je vous dois?

How much is that?

Epicier
Ça fait 40 euros tout rond.

That's exactly 40 euros.

Sophie
Je n'ai pas de monnaie.
Voilà 100 euros.

I don't have any change.
Here's 100 euros.

Epicier
10, 20, 40 et 20 qui font 90.
Et encore 10 qui font 100 euros.
Voilà, madame. Au revoir, mesdames!

10, 20, 40 and 20, that's 90.
And anther 10, that's 100 euros.
Thank you very much! Goodbye!!

Sophie, Sandra
Au revoir!

Goodbye!!

Narrateur
A la boulangerie.

At the baker's.

Sophie
Bonjour, je voudrais une baguette.

Good morning, I would like a baguette.

Boulangère
Bien cuite ou pas trop cuite?

Baker
Well baked or lightly baked?

Sophie
Bien cuite et je vais prendre aussi
des tartelettes. Vous en avez aux
fruits?

Well baked and I'll take one of those
tarts. Do you have any with fruit?

Boulangère
Oui, nous en avons aux framboises,
aux cerises, aux poires et aux
abricots. Vous en voulez combien?

Yes, we have them with raspberries,
with cherries, with pears and with
apricots. How many would you like?

Sophie
J'en voudrais cinq. Je vais en
prendre deux aux framboises, deux
aux poires et une aux abricots.
Les enfants vont se régaler!
Ça fait combien en tout?

I'd like five. I'd like two with
raspberries, two with pear and one
with apricots.
The children love them!
How much is that?

Boulangère
Alors, la baguette et les tartelettes,
ça fait 10€ 80.

Right, the baguette and the tarts,
that's 10 euros 80.

Sophie
10€ 80 voilà. Au revoir!
Vite, Sandra, nous allons être
en retard!

10 euros 80, there you are!
Goodbye! Hurry, Sandra, otherwise
we'll be late!

115

EXERCICES

Instructions: You will hear a question or an instruction which you should answer in the pause provided.

You will then hear the correct answer. In this way you can compare your answer with the correct answer.

There is an example for each exercise.

CD2 Exercice 1
ᴛᴏᴘ 22

Explain what will happen in a few hours or days – try to use pronouns!

E Example:

Voix: *Maintenant la réunion ne commence pas; et dans une demi-heure?*

Vous: *La réunion va commencer dans une demi-heure.*

Voix: *La réunion va commencer dans une demi-heure.*

Vous: *La réunion va commencer dans une demi-heure.*

A vous – and now you:

1. Maintenant la réunion ne commence pas; et dans une demi-heure?
    La réunion va commencer dans une demi-heure.

    The meeting hasn't started yet; and in half an hour?

2. Maintenant Sandra ne fait pas ses courses; et dans trois heures?
    Sandra va les faire dans trois heures.

    Sandra isn't going shopping now; and in 3 hours?

3. Maintenant Sophie ne prépare pas la quiche; et ce soir?
    Sophie va la préparer ce soir.

    Sophie isn't preparing the quiche right now, and this evening?

4. Maintenant Sophie ne prend pas de fruits; et demain?
    Sophie va en prendre demain.

    Sophie isn't buying any fruit; and tomorrow?

5. Maintenant Sophie et Sandra ne sont pas en retard; mais dans une demi-heure?
    Sophie et Sandra vont être en retard dans une demi-heure.

    Sophie and Sandra aren't late now but in half an hour?

6. Maintenant Sandra ne va pas à Lyon; et demain?
    Sandra va y aller demain.

    Sandra isn't going to Lyons now; and tomorrow?

7. Maintenant Sandra ne téléphone pas à ses collègues; et tout à l'heure?
    Sandra va téléphoner à ses collègues tout à l'heure.

    Sandra isn't calling her colleagues now, and in a minute?

CD2 Exercice 2
TOP 22

Go shopping with Sophie.

 Example:

Voix: ***Sophie achète du jambon?***

Vous: ***Oui, elle achète du jambon,
elle achète trois tranches de jambon.***

Voix: ***Oui, elle achète du jambon,
elle achète trois tranches de jambon.***

Vous: ***Oui, elle achète du jambon,
elle achète trois tranches de jambon.***

 A vous - and now you:

1. Sophie achète du jambon? Does Sophie buy some ham?
   Oui, elle achète du jambon,
   elle achète trois tranches de jambon.

2. Sophie achète de l'huile? Does Sophie buy some oil?
   Oui, elle achète de l'huile,
   elle achète un litre d'huile.

3. Sophie achète des pâtes? Does Sophie buy some pasta?
   Oui, elle achète des pâtes,
   elle achète un paquet de pâtes.

4. Sophie achète du vin? Does Sophie buy some wine?
   Non, elle n' achète pas de vin.

5. Sophie achète du chocolat? Does Sophie buy some chocolate?
   Oui, elle achète du chocolat.

6. Sophie achète un melon? Does Sophie buy a melon?
   Non, elle n'achète pas de melon.

7. Sophie achète des tomates? Does Sophie buy tomatoes?
   Oui, elle achète une livre de tomates.

D2 Exercice 3
23

The Use of "en"— L'emploi de "en"

 Example:

Voix: ***Sophie prend quatre yaourts?***

Vous: ***Non, elle en prend huit.***

Voix: ***Non, elle en prend huit.***

Vous: ***Non, elle en prend huit.***

 A vous — and now you:

1. Sophie prend quatre yaourts?   Does Sophie choose 4 yoghurts?
   Non, elle en prend huit.

2. Elle achète deux pots de confiture?   Does she buy 2 jars of jam?
   Non, elle en achète un.

3. L' épicière lui donne   Does the grocer give her
   quatre avocats?   four avocados?
   Non, elle lui en donne trois.

4. Sophie veut 150 grammes   Does Sophie want to buy 150 grams
   de gruyère?   of Gruyère?
   Oui, elle en veut 150 grammes.

5. Elle prend des fruits?   Does she buy some fruit?
   Non, elle n 'en prend pas.

6. Elle veut deux baguettes?   Does she want 2 baguettes?
   Non, elle en veut une.

7. Elle prend une tartelette aux   Does she buy a fruit tart in the
   fruits à la boulangerie?   baker's?
   Non, elle en prend cinq.

GRAMMAIRE

The Partitive Article – L'article partitif

The partitive article only exists in French. It is used for non-countable quantities (*du lait* "milk"; *du pain* "bread") and is used in combination with abstract terms (*du sport* "sport"; *de la musique* "music").

The partitive article is made up by the preposition **de** + **def. article**.

masculine	**du** (= de + le)
masculine or feminine	**de l'**
feminine	**de la**

Sophie veut acheter **du** jambon et *de la* confiture.
Sophie wants to buy some ham and some jam.

Elle boit *de l*'eau minérale.
She drinks mineral water.

Attention: there are no partitive articles following :
sans: sans lait (without milk) [but: avec **du** lait]
préférer; **détester**; **aimer**: J'aime le sport; je n'aime pas le sport.

With the negative or with quantities the partitive article of the definite article is *not* used:

ne ... **pas de**
ne ... **plus de**
ne ... **jamais de**
ne ... **rien de**

Expressions of Quantity — Les expressions de quantité

combien de ...?	(how much)	un kilo de	a kilo
(un) peu de	(a) little	une livre de	a pound
beaucoup de	a lot	un litre de	a litre
trop de	too much	une bouteille de	a bottle
assez de	enough	une tranche de	a slice
tant de	so much	une tablette de	a bar of
moins de	less	un paquet de	a packet

Je voudrais un kilo de tomates
et un litre de lait.

I'd like a kilo of tomatoes
and a litre of milk.

Je prends une tablette de chocolat.   I'll take a bar of chocolate.

The Pronoun "en"— Le pronom "en"

As we have already seen in Lesson 6, the pronoun **"en"** replaces adjuncts with **de. "En"** can also substitute for the partitive article and expressions with the indefinite article:

Vous avez encore **du café?**
Do you still have coffee?

Oui, j'**en** ai.
Yes, l still have sorne.

Tu achètes **des yaourts**?
Are you going to buy yoghurt?

Oui, j'**en** achète.
Yes, I'm going to buy some.

Tu prends **de la farine**?
Do you use flour?
No, l don't. I still have some.

Non, je **n'en prend pas**.
J'**en** ai encore.

"En" always comes before the conjugated verb form and is enclosed in the negative form of **"ne"** and **"que"** along with the conjugated verb.

"En" replaces nouns with a preceding number and preceding quantity as well. The number or quantity is picked up in the verb or replaced by an indication of quantity.

Attention: there is no similar expression for *"en"* in English!

Tu veux manger **une quiche?**	would you like to eat a quiche?
Je veux **en** manger **une**.	I would like to eat one.

The numerical adjective is repeated.

Vous voulez **combien de litres de lait?**	How many litres of rnilk would you like?
J'**en** veux **deux**.	I would like two litres.

The quantity word *"combien"* is replaced by the number *deux*.

The Near Future — le futur proche

The *"futur composé"* is made up from the conjugated present tense form and th infinitive of the verb aller and the infinitive of the verb which describes the future action.

Demain, je *vais* **acheter** des tomates.
Tomorrow I will buy some tomatoes.

Nous *allons* **boire** un café après le manger.
We will drink a coffee after the meal.

The negative *"ne ... pas"* encloses the conjugated *"aller"*:

Tu **ne *vas* pas** prendre un café avec nous?
Won't you drink a coffee with us?

Ils **ne *vont* pas** partir en vacances.
They are not going on holiday.

FRANCE PRATIQUE

In every town centre you can find **"une épicerie, une supérette"**, where groceries can be bought. Often there is competition today from the **"hypermarchés"** (huge shopping centres, mostly on the edge of town), which are open longer (for example until 10.00pm on the 24th December!) and whose prices are lower.

Food plays an important part in the life of the French, which is why one can shop Sunday mornings. There are **"la boucherie/charcuterie"**: for meat and prepared dishes, **"la boulangerie"** : bread and cake, **"la pâtisserie"**: bakers, **"la poissonnerie"**: fishmonger, **"le marchand de légumes"**: greengrocers.

In every town there is a market day: **"le jour du marché"**. Here are some more important expressions:

— c'est combien ?	— et avec ça?
— c'est tout!	
— ça fait combien?	— il vous faut autre chose?
— ça coûte combien?	

EXERCICE ÉCRIT

Combine quantities and products

1. une tasse
2. un kilo
3. une boîte
4. une bouteille
5. un pot
6. un flacon
7. un paquet
8. une tranche
9. une tablette
10. une demi-livre

a) la conserve
b) la cigarette
c) le beurre
d) le café
e) la pomme
f) la bière
g) le chocolat
h) la confiture
i) le parfum
j) le jambon

Solutions : 1/d une tasse de café – 2/e un kilo de pommes – 3/a une boîte de conserves 4/f une bouteille de bière – 5/h un pot de confiture – 6/i un flacon de parfum – 7/b un paquet de cigarettes – 8/j une tranche de jambon – 9/g une tablette de chocolat – 10/c une demi-livre de beurre.

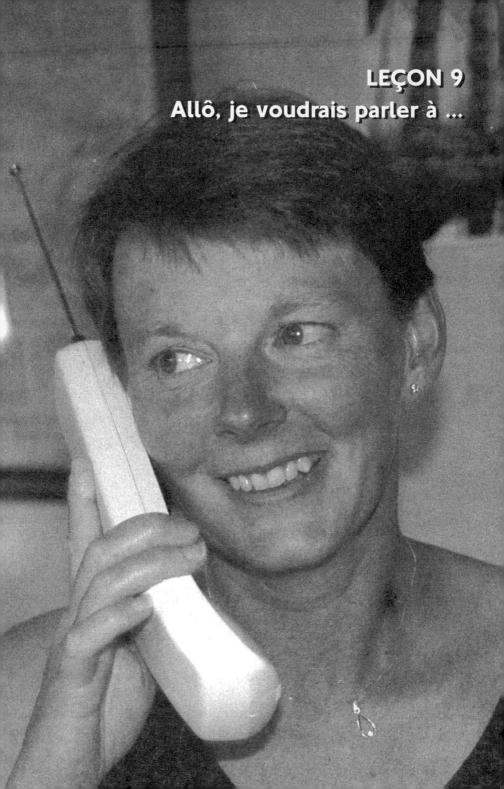

LEÇON 9
Allô, je voudrais parler à ...

CD3 In this lesson you will learn:
TOP 1

- how to begin a telephone conversation;
- how to ask for someone on the phone;
- how to leave a message

Learn the following expressions:

Allô, je voudrais parler à ...	Hello, I would like to speak to ...
C'est quel numéro? C'est le ...	What number is that? It's ...
Vous avez le mauvais numéro.	You have dialed the wrong number
Vous êtes chez un particulier!	You have rung a private number.
Excusez-moi de vous déranger!	Sorry for the disturbance.
C'est de la part de qui?	Who's speaking?
Pouvez-vous me passer ... ?	Can you put me through to ... ? Can you give me ... ?
Puis-je parler à ...?	Can I speak to ...?
Veuillez patienter un instant.	Just a second please!
Ne quittez pas!	Please hold the line!
La ligne est occupée.	The line is engaged.
Voulez-vous rappeler?	Do you want to ring back?
Je ne peux pas déplacer le rendez-vous.	I can't alter the appointment.
Je peux laisser un message?	Can I leave a message?
Je vais lui donner le message.	I'll give him the message.

03 Dialogue

2

Contents:
Conversation 1: Sandra makes a call from her hotel room, but dials the wrong number.

Conversation 2: Sandra rings Sophie and asks her for the number of her company Médèque in Lille. She then rings there. Her contact person isn't there, but the telephonist (standardiste) puts her through to her colleague. Sandra arranges an appointment in Lille.

Conversation 3: Sandra rings another company but the person she wanted to speak with is not there. She leaves a message with the secretary to confirm the appointment.

Narrateur
Sandra téléphone pour fixer quelques rendez-vous.

Sandra rings up to confirm a few appointments.

Voix
Allô, oui?

Hello?

Sandra
Bonjour, monsieur.
Je voudrais parler à M. Champêtre, s'il vous plaît!

Good morning,
I would like to speak with M. Champêtre, please.

Voix
Je regrette, mais je crois que vous avez le mauvais numéro.
Il n'y a pas de Champêtre ici!

I'm sorry but I think you have dialled the wrong number.
There's no Champêtre here!

Sandra
Ah bon, ce n' est pas le
04. 78. 24. 02. 75.?

Oh, this isn't
04.78.24.02.75?

Voix
C'est bien le 04. 78. 24. 02. 75.,
mais vous êtes chez un particulier!

Here is 04.78.24.02.75, but you have dialled a private number!

Sandra
Excusez-moi, je suis vraiment désolée.

Oh, excuse me, I'm very sorry.

Voix
Ce n'est pas grave! Au revoir!

That's not so bad. Goodbye!

Sandra
Au revoir!

Goodbye!

Narrateur
Sandra demande à Sophie.

Sandra asks Sophie.

Sandra
Excusez-moi de vous déranger:
Avez-vous par hasard le numéro de
la société Médèque à Lille?
Le numéro dans mon carnet
d'adresses n'est pas le bon.

Sorry to disturb you:
Do you just happen to have the
number the Médèque Company in Lille?
The number I have in my address
book isn't correct.

Sophie
Je ne l'ai pas sous la main, mais je vais
regarder sur le minitel. Attendez un
instant. Le voilà, c'est le 04. 78. 42. 02. 57.

I don't have it to hand, but I can look
in the Minitel. Wait a moment. Here
it is, it's 04.78.42.02.57

Standardiste
Allô, société Médèque, bonjour!

Hello, Médèque Company, good morning!

Sandra
Bonjour, madame, je voudrais
parler à M. Champêtre.

Good morning, I would like to speak to
M. Champêtre.

Standardiste
Je regrette, monsieur le directeur
n'est pas là. Il est en déplacement
jusqu'à mardi prochain. Si vous le
désirez, je peux vous passer son
adjoint, M. Philippin.

I'm very sorry but the Director
is not here. He will be gone
until next Tuesday. If you like I
can connect you with his deputy,
Mr. Philippin.

Sandra
Oui, je veux bien.

Yes, thank you.

Standardiste
C'est de la part de qui?

Who's speaking please?

Sandra
Mme Reiter. Je suis une collègue
allemande et je suis actuellement
en France.

Mrs. Reiter. I am a German colleague
and I am currently in France.

Standardiste
Veuillez patienter un instant. Je vous
passe la communication ... Ah, la ligne
est occupée. Voulez-vous attendre
ou préférez-vous rappeler plus tard?

One moment, please. I'll put you
through. Oh, the line's engaged.
Would you care to wait or would
you prefer to ring back later?

Sandra
Je préfère attendre.

would prefer to wait.

Narrateur
Quelques minutes plus tard.

Several minutes later.

Philippin
Allô?

Hello?

Sandra
M. Philippin, c'est Mme Reiter
à l'appareil.

Mr. Philippin, this is Mme Reiter
speaking.

Philippin
Ah, Mme Reiter, j'ai votre lettre en
date du 4 courant sous les yeux.
Alors vous êtes à Paris en
ce moment?

Oh, Mme Reiter, I have got your
letter dated from the fourth of this
month in front of me. So, you are
Paris at the moment?

Sandra
Oui, c'est cela. l'ai l'intention
d'aller à Lille le mercredi pour
discuter notre nouveau projet.
Est-ce que je peux vous voir
mercredi après-midi?

Yes, that's right. I've planned to come
to Lille on Wednesday to talk
about our new project. Can we
meet up on Wednesday afternoon?

Philippin
Attendez, je consulte mon agenda ...
Ça va être difficile: je dois partir
visiter une de nos usines en fin
d'après-midi. Mais par contre je suis
au bureau mercredi matin.

Wait a moment, I'll check in my
business planner ... That will be difficult:
I have to inspect one of our factories
late in the afternoon, but I'm in the
office on Wednesday morning.

Sandra
Non, ça ne va pas, j'ai déjà un
rendez-vous et je ne peux pas le
déplacer.

No, that won't work, I already have
an appointment that I can't change.

Philippin
Alors en tout début d'après-midi,
vers 14 h 00?

What about the early afternoon, say
at about 2 o'clock?

Sandra
Oui, pourquoi pas. Alors à mercredi
14 h 00. Au revoir!

Yes, why not. Alright, see you on
Wednesday at 2 o'clock. Goodbye!

Philippin
Au revoir, Mme Reiter,
à mercredi!

Goodbye, Mme Reiter, see you on
Wednesday!

Narrateur
Sandra téléphone à la société
Legrand.

Sandra calls the Legrand company.

Secrétaire
Société Legrand, bonjour.

Legrand company, good morning.

Sandra
Mme Reiter à l'appareil. Je voudrais
parler à M. Dominart.

Mme Reiter speaking. I would
like to speak to M. Dominait. 11

Secrétaire
Un instant, s'il vous plaît. Je vais
voir s'il est là. Je regrette, mais
M. Dominart est en réunion. Pouvez-
vous rappeler plus tard, environ?

One moment please, I'll see, if he's there.
I'm sorry but M. Dominart.
is in a meeting. Could you ring
back in an hour or so? dans une heure

Sandra
Non, ce n'est pas possible. Je peux
lui laisser un message?

No, that's not possible. Can I
leave him a message?

Secrétaire
Naturellement, madame.

Yes, of course.

Sandra
Pouvez-vous dire à M. Dominart
que je confirme notre rendez-vous
pour mercredi matin 11 heures 30.

Can you inform M. Dominart
that I want to confirm our
meeting on Wednesday at 11.30?

Secrétaire
Vous me rappelez votre nom?

What was your name again?

Sandra
Mme Sandra Reiter.

Sandra Reiter.

Secrétaire
Bien, Mme Reiter, je vais laisser un
message sur le bureau de M. Dominart.

Good, Mrs. Reiter, I'll leave
a note on M. Dominart's desk.

Sandra
Merci, au revoir.

Thank you, goodbye.

Secrétaire
Au revoir, madame.

Goodbye, Madame Reiter.

EXERCICES

Instructions: You will hear a question or a request which you should answer after the tone in the pause.

You will then hear the correct answer.
You can then compare your answer with the correct answer.

There is an example for each exercise.

Exercice 1

Listen to the various telephone numbers that the "office de tourisme" give you. Please repeat them.

Example:

Voix: *L'hôtel de la gare, c'est le 02.86. 70.35.08.*

Vous: *Je répète: c'est le 02.86.70.35.08.*

Voix: *Je répète:c'est le 02.86.70.35.08.*

Vous: *Je répète:c'est le 02.86.70.35.08.*

A vous – and now you:

1. L'hôtel de la gare, c'est le
   02.35.70.35.08
   Je répète: c'est le 02.35.70.35.08.

   The railway hotel, that's …

2. L'hôtel Le Foche, c'est le
   03.22.93.56.88.
   Je répète: c'est le 03.22.93.56.88.

   The Hotel Le Foche, that's …

3. L'hôtel du Midi, c'est le
   05.25.05.04.58.
   Je répète: c'est le 05.25.05.04.58.

   The Hotel du Midi, that's …

4. Le restaurant Etna, c'est le
   01.44.98.68.70.
   Je répète: c'est le 01.44.98.68.70

   The Etna. Restaurant, that's …

5. La gare du Nord, c'est le
   01.45.26.94.82.
   Je répète: c'est le 01.45.26.94.82.

   The Northern Railway-StaLon,
   that's …

6. Le restaurant Chez Solange,
   c'est le 04.93.26.92.90.
   Je répète: c'est le 04.93.26.92.90.

   The Chez Solange. Restaurant,
   that's …

7. L'Opéra Garnier, c'est le
   01.44.73.13.00.
   Je répète: c'est le 01.44.73.13.00.

   The Gamier Opera, that's …

03 Exercice 2
P 4

Confirm what is said to you.

 Example:

Voix: **Téléphonez-moi à 6 heures!**

Vous: **D'accord, je vous téléphone à 6 heures**

Voix: **D'accord, je vous téléphone à 6 heures.**

Vous: **D'accord, je vous téléphone à 6 heures.**

 A vous – and now you:

1. Téléphonez-moi à 6 heures!
   **D'accord, je vous téléphone
   à 6 heures.**

   Call me at six o'clock!

2. Donnez mon numéro de téléphone
   à Monsieur Mietz!
   **D'accord, je lui donne votre
   numéro de téléphone.**

   Give me Mr. Mietz's
   telephone number!

3. Laissez-moi un message sur
   le répondeur!
   **D'accord, je vous laisse un
   message sur le répondeur.**

   Please leave a message on
   the answerphone!

4. Téléphonez à Monsieur Martin
   cet après-midi!
   **D'accord, je lui téléphone
   cet après-midi.**

   Call M. Martin this afternoon!

5. Donnez un rendez-vous à
   Messieur Dominart et Lemaître!
   **D'accord, je leur donne
   un rendez-vous.**

   Give Messieur Dominart and
   Lemaître an appointment!

6. Téléphone-moi à midi!   Call me in the afternoon!
   D'accord, je te téléphone à midi.

7. Passe-moi un coup de fil à la maison! Call me at home!
   D'accord, je te passe un coup de fil à la maison.

CD3 Exercice 3
TOP 5

Now it's going to get more difficult. Answer the questions using the modal verbs "vouloir / pouvoir / devoir" (want to, can and must):

 Example:

Voix: ***Voulez-vous parler à Monsieur Champêtre?***

Vous: ***Oui, je veux lui parler.***

Voix: ***Oui, je veux lui parler.***

Vous: ***Oui, je veux lui parler.***

 A vous – and now you:

1. Voulez-vous parler à
   Monsieur Champêtre?
   Oui, je veux lui parler.

   Do you want to speak to
   Mr. Champêtre?

2. Pouvez-vous me passer le
   directeur maintenant?
   ***Oui, je peux vous passer
   le directeur maintenant.***

   Can you give me the
   director now?

3. Devez-vous téléphoner à
   les messieurs Martin et Philippin
   aujourd'hui?
   ***Oui, je dois leur téléphoner
   aujourd'hui.***

   Do you have to call Messrs
   Martin and Philippin?

4. Voulez-vous me parler maintenant? Do you want to talk to me now?
    Oui, je veux vous parler maintenant.

5. Pouvez-vous donner un message   Can you give Madame
    à Madame Durot?   Durot a message?
    Oui, je peux lui donner un message.

6. Devez-vous rendre visite à nos   Do you have to visit our
    collègues cet après-midi?   colleagues this afternoon?
    Oui, je dois leur rendre visite
    cet après-midi.

7. Peux-tu me donner un coup de   Can you call me this
    fil à six heures et demie ce soir?   evening at half six?
    Oui, je peux te donner un coup de fil
    à six heures et demie ce soir.

GRAMMAIRE

The Dative Pronoun — Les pronoms indirects

In Lesson 5 the accusative pronouns "le", "la" and "les"were introduced. The dative pronouns are only different to the accusative pronouns in the third person singular and plural.

		Accusative pronoums		Dative pronoum
Singular	1. person	me		me
	2. person	te		te
	3. person	**le (m)**, *la (f)*	*lui*	
Plural	1. person	nous		nous
	2. person	vous		vous
	3. person	**les (m/f)**		**leur (m/f)**

Tip: In the third person plural one has to watch out that "leur" as an accurative object always remains unaltered, whilst it can occur as a possessive pronoun in the form of **"leurs"**. (The possessive pronoun is governed by the number and gender of the main noun.)

if a noun follows leur, then it is a possessive pronoun:
    Ce sont <u>leurs amis</u>   those are their friends.

if a verb follows "leur" ein Verb, then it is an object pronoun:
    Je leur donne mon adresse   I give them my address.

As already mentioned in Lesson 5, the object pronouns come before the verb.

    Je *lui* téléphone deux fois par jour.
    I telephone twice a day with him.

If after the conjugated verb there is an infinitive, then the object pronoun comes before the infinitive:

Je **vais *lui* donner** son ticket demain   I will give him his ticket tomorrow.

Je **peux *lui* donner** son ticket demain   I can give him his ticket tomorrow.

Je **veux *lui* donner** un cadeau.   I would like to give him a present.

Non, **ne *lui* achète pas** de bière!   No, don't buy him some beer!

Attention: here the conjugated verb in "ne ... pas" remains enclosed, the object pronoun remains in front of the infinitive (see above).

Je **ne vais pas *lui donner*** d'argent. I won't give him any money.

The Verb *"venir"* — le verbe "venir"

infinitive	**venir** (come)
je	vien**s**
tu	vien**s**
il/elle/on	vien**t**
nous	**venons**
vous	**venez**
ils/elles	vienn**ent**
imperative	viens!
	venons!
	venez!

With the stressed ending forms (1. and 2. person plural) the stem of the infinitive remains in "venir" **ven-** instead of changing to **vien-**.

tenir (hold)

FRANCE PRATIQUE

To the questions **"vous avez un numéro de téléphone"** or **"quel est vôtre 'numéro?"** the answer form is always:
There are several ways to translate the verb "to telephone" in French:
– téléphoner à quelqu'un: je téléphone à ma soeur; je lui téléphone. (indirect object!)
– appeler une personne: j'appelle ma soeur; je l'appelle. (direct object!)
– passer/donner un coup de fil à une personne: je te passe un coup de fil ce soir.
This last expression is slang, but is often used.
A very polite way to ask for something (instead of *"je peux parler..."*) is *"puis-je parler...?"*. This "puis" can only be used in the first person singular form to "pouvoir". When telephoning somebody, do not give your name immediately. The French usually only answer the phone with: *âllo!*
To telephone in France the following numbers must be used:
There are five regions, each with its own code: 01 for Paris and its area (l'île de France); 02 for northwest France; 03 for northeast France; 04 for southeast France and Corsica; 05 for southwest France.
At the end of a telephone call, one says *"Au revoir"* or *"salut"*.
You can telephone from either the *"poste"*, a *"café"* (*point téléphone* – sign in the window) or from a *"cabine téléphonique"*. In the "cabines" it is becoming increasingly difficult to telephone with "pièces de monnaie"(coins); *"télécarte"*, a magnetic card with either 50 or 120 unités (units) are used; a "télécarte"can be bought at the postoffice or in Cafés. Careful when using a credit card telephone: they often only work with credit cards which have a chip (*"carte à puce"* . If nobody is reached on the telephone, it is still possible to leave a message (*un message*) on the answering machine (*le répondeur*)! The cheaper rates are available from 8 in the evening weekdays, from 2 in the afternoon on Saturdays and all day Sundays.
Here are some further important telephone numbers:
Fire brigade *"les pompiers"*: 18
Police *"la police"*: 17
Ambulance *"SAMU"*: 15
Directory Enquiries: *"les renseignements"*: 12 (in French), in other languages (autres langues) : 01.42.33.44.11

Le MINITEL :
The Minitel is a screen and a keyboard, connected via the telephone to several services. The system was introduced in 1982: The system is found in many private households, hotels, at the post office and in many companies. It is an electronic information service with many additional services (i.e. ticket booking).

EXERCICE ÉCRIT

Pair the various sentences together:

1. Il n'est pas là, il est en déplacement jusqu' a mardi prochain.

2. Je voudrais parler à Monsieur Dugalet.

3. C'est de la part de qui?

4. Vous êtes au 01.44.36.25.42.

5. Je suis bien au service marketing?

6. Voulez-vous patienter ou préférez-vous rappeler plus tard?

7. Je vous dérange?

a) Je regrette, mais il n'y a pas de M. Dugalet dans notre société!

b) Excusez-moi, c'est une erreur.

c) Bon, je vais rappeler mardi prochain.

d) Je préfère attendre.

e) Euh, oui, je vais sortir, j'ai un rendez-vous chez le dentiste,

f) Oui, monsieur, mais il n'y a encore personne au bureau; rappelez dans une heure!

g) de Monsieur Müller.

Solution : 1/c – 2/a – 3/g – 4/b – 5/f – 6/b – 7/e

CD3 **In this lesson you will learn:**

On the phone ...

- to make an invitation;
- to make an appointment;
- to accept or refuse an invitation;
- to buy theatre or cinema tickets

Learn the following expressions:

Qu'est-ce que vous faites mercredi?	What are you doing on Wednesday?
Vous avez envie d'aller au cinéma?	Would you like to go to the cinema?
Vous êtes libre?	Are you free?
Je n'ai rien de prévu.	I haven't anything planned.
A quelle heure passe le film?	What time does the film start?
Je vous retrouve devant ...	I'll meet you in front of ...
Je passe vous prendre.	I'll pick you up.
Ne vous inquiétez pas !	Don't worry !
Vous avez des places pour le concert?	Do you have tickets for the concert?
C'est complet.	It's sold out.

D3 Dialogue

Narrateur
Sandra est dans sa chambre d'hôtel.

Sandra is in her hotel room.

Sandra
Allô? Hello?

Sophie
Allô Sandra, c'est moi, Sophie.
Dites, qu'est-ce que vous faites
mercredi soir? Vous avez envie
d'aller au cinéma avec nous?

Hello Sandra, it's me, Sophie.
Tell me, what are you doing on
Wednesday evening? Would you
like to go to the cinema with us?

Sandra
Mercredi'? Attendez! Ah non, ça
ne va pas! Je regrette mais vous
savez, mercredi je vais aller à Lille
et je pense que je vais rentrer jeudi
matin de bonne heure.

Wednesday? Wait a moment. Oh
no, I can't. I'm sorry, on
Wednesday I'm going to Lille,
and I think that I'll be back early
on Thursday morning.

Sophie
Ah oui, c'est vrai! Et demain soir,
vous êtes libre?

Oh yes, that's right! And do you
have time tomorrow evening?

Sandra
Oui, je n'ai rien de prévu.

Yes, I've nothing planned.

Sophie
Sur les Champs-Elysées, on passe
le dernier film de Tavernier; il
paraît qu'il est très bon.

The latest film by Tavernier is
showing on the Champs-Elysées.
It seems to be very good.

Sandra
D'accord! Vous savez à quelle
heure passe le film?

Alright! Do you know what time
the film starts?

Sophie
Un instant, je regarde ... Il y a une
séance à 20 heures, ça vous va?

Just a moment, I'll have a look ... It's on
at 8 o'clock. Is that alright for you?

Sandra
Oui; je vous retrouve devant
le cinéma. C'est lequel?

Yes, I can meet you in front of the
cinema. Which one is it?

Sophie
Non, non, on passe vous prendre
à l'hôtel.

No, no, we'll come to the hotel and
pick you up.

Sandra
Mais je ne veux pas vous déranger!

But I don't want to put you out!

Sophie
Ne vous inquiétez pas, c'est sur le chemin! Attendez, mon mari me demande si vous voulez venir à un concert de jazz jeudi ou samedi soir. Il va essayer d'avoir des billets.

Don't worry about that, it's on route! Wait a moment, my husband is asking me if you would like to go to a jazz concert on Thursday or Saturday evening. He's trying to get tickets.

Sandra
Pourquoi pas? Je suis libre les deux soirs.

Why not? I have time on both evenings.

Sophie
Mon mari va s'occuper des billets tout de suite. Il veut aller faire un peu de vélo avec son collègue pendant que je prépare le repas. Ils vont passer devant la salle de concert. De toute façon je vais vous voir demain au bureau. Bonne soirée! Dormez bien, vous devez être fatiguée!

My husband will see about the tickets right away. He wants to go cycling with a friend, while I'm cooking the meal. They're going to cycle by the concert hall. Anyway, I'll see tomorrow at the office. I hope that you have a pleasant evening. Sleep well, you must be tired!

Sandra
Ça va, mais je vais aller bientôt au lit. A demain!

I'm okay, but I'll go to bed soon., See you in the morning!

Narrator
Pierre, le mari de Sophie, est à la caisse de la salle de concert.

Pierre, Sophie's husband at the concert hall ticket office.

Employée
Bonsoir!

Good evening!

Pierre
Bonsoir! Est-ce que vous avez encore des places pour le concert de jazz jeudi soir?

Good evening! Do you still have any seats free for the jazz concert on Thursday night?

Employée
Désolée, mais pour jeudi soir
c'est déjà complet.Il reste encore
quelques places pour samedi
et dimanche soir.

I'm sorry, but Thursday night is
already sold out. There are still
some seats free for Saturday and
Sunday night.

Pierre
D'accord, dans ce cas je vais prendre
trois places. Elles coûtent combien?

Allright, if that's the case, I'll
take tickets for three seats. How much
do they cost?

Employée
Ça dépend. Il y a encore des places
à 20 francs et à 25 euros.

That depends. There are still seats
for 20 euros and 25 euros.

Pierre
Celles à 25 euros, elles sont où?

Where are the ones for 25 euros?

Employée
Vous êtes assis au huitième rang,
un peu sur le côté mais vous voyez
bien quand même.

They are in the eighth row, a bit to
the side, but you can see well
anyway.

Pierre
Bon, je les prends. Je peux payer
par carte?

Good, I'll take them. Can I pay by
card?

Employée
Oui, bien sûr.

Yes, of course.

Pierre
La voilà!

Here you are.

EXERCICES

Instructions: You will hear a question or a request which you should answer after the tone in the pause.
You will then hear the correct answer. You can then compare your answer with the correct answer.

There is an example for each exercise.

CD3 Exercice 1
TOP 9

Answer the following questions about the text. This is repetition of the "futur proche" and the use of pronouns.

 Example:

Voix: *Mercredi, Sandra va aller à Bordeaux?*

Vous: *Non, elle va aller à Lyon.*

Voix: *Non, elle va aller à Lyon.*

Vous: *Non, elle va aller à Lyon.*

A vous – and now you:

1. Mercredi, Sandra va aller
   à Bordeaux?
   Non, elle va aller à Lyon.

   Is Sandra going to
   Bordeaux on Wednesday?

2. Jeudi matin, Sandra va rester
   à Lyon?
   Non, elle va rentrer à Paris.

   Is Sandra going to stay in
   Lyons on Thursday night?

3. Vendredi soir, Sandra va aller
   dîner chez Bernard?
   *Oui, vendredi soir, elle va aller
   dîner chez lui.*

   Is Sandra going to have
   dinner at Bernard's on Friday?

4. Demain soir, Sandra va voir
   un film allemand?
   *Non, demain soir, elle va voir
   un film français.*

   Is Sandra going to see a
   German film tomorrow?

5. Dimanche soir, Sandra va sortir
   avec Sophie et son mari?
   Oui, elle va sortir avec eux.

   Is Sandra going to go out on Saturday
   night with Sophie and her husband?

6. Dimanche, Sandra va aller à un
   concert de musique classique?
   Non, elle va aller à un concert de jazz.

   Is Sandra going to a classical concert
   on Sunday evening?

7. Ce soir, Sandra va sortir?
   Non, ce soir, elle va aller au lit.

   Is Sandra going out this evening?

CD3 Exercice 2

The Negation "ne ... rien";"ne ... personne"

 Example:

Voix: **Sandra fait quelque chose ce soir?**

Vous: **Non, elle ne fait rien ce soir.**

Voix: **Non, elle ne fait rien ce soir.**

Vous: **Non, elle ne fait rien ce soir.**

 A vous — and now you:

1. Sandra fait quelque chose ce soir?   Has Sandra planned
                                          Anything for this evening?

   Non, elle ne fait rien ce soir.

2. Sandra va inviter quelqu'un au   Is Sandra going to invite anybody
   restaurant demain?   to restaurant tomorrow?
   Non, elle ne va inviter personne
   au restaurant demain.

3. Sandra va partir avec quelqu'un   Is Sandra travelling to
   à Lyon?   Lyon with anybody?
   Non, elle ne va partir avec
   personne à Lyon.

4. Sandra va dîner chez quelqu'un   Is Sandra going to anybody's
   samedi soir?   for dinner on Saturday night?
   Non, elle ne va dîner chez
   personne samedi soir.

5. Sandra a quelque chose de   Has Sandra planned for
   prévu demain soir?   tomorrow evening?
   Non, elle n'a rien de prévu
   demain soir.

6   Vous parlez avec quelqu'un
maintenant?
**Non, je ne parle avec personne
maintenant.**

Are you speaking with somebody
right now?

7. Vous allez regarder quelque
à la télévision maintenant?
**Non, je ne vais rien regarder à
la télévision maintenant.**

Are you watching something chose
on TV right now?

D3 EXERCICE 3
> 11

Emploi de CELUI / CELLE / CEUX / CELLES
Always use the second possibility in your answers.

Example:

Voix: ***Il y a des billets à 6 et 10 euros
lesquels voulez-vous?***

Vous: ***Je veux ceux à 10 euros.***

Voix: ***Je veux ceux à 10 euros.***

Vous: ***Je veux ceux à 10 euros.***

 A vous – and now you:

1. Il y a des billets à 6 et 10 euros;
lesquels voulez-vous?
Je veux ceux à 10 euros

There are tickets for 6 and 10
euros, which one would you like?

2. On passe un film en anglais et un
en français; lequel voulez-vous
voir?
Je veux voir celui en français.

There's an English and a French film;
which one would you like to see?

3. Il y a une séance de cinéma. à
   19h et à 21 h; à laquelle
   voulez-vous aller?
   Je veux aller à celle de 21h.

   There's a film at 7 and at 9;
   which one would you like
   to go to?

4. J'ai une glace à la vanille et une
   glace à la fraise: laquelle
   voulez-vous prendre?
   Je veux prendre celle à la fraise.

   I have a vanilla and a strawberry
   ice cream, which one would
   you prefer?

5. Je peux vous donner un
   rendez-vous à 11h ou à 11h 30;
   lequel voulez-vous avoir?
   Je veux avoir celui à 11h30.

   I can give you an appointment
   at either 11 or 11.30;
   which would you prefer?

6. Il y a une télécarte à 5h et
   une à 15 euros; laquelle
   voulez-vous acheter?
   Je veux acheter celle à 15 euros.

   There are telephone cards for 5
   and for 15 euros, which one
   would you like?

7. J'ai des biscuits à la crème et des
   biscuits au chocolat; lesquels
   voulez-vous avoir?
   Je veux avoir ceux au chocolat.

   I have cream and chocolate
   biscuits, which ones would
   you like?

GRAMMAIRE

The Negative — la négation

In French there are the following negatives:
ne ... pas (Lesson 1) or **ne ... plus** (no longer, no more).

Exemple: Je **ne** regarde **pas** la télévison.
              I don't watch television.

              Nous **n**'aimons **pas** les quiches.
              We don't like quiche.

By the negation of sentences with indefinite an article or a the preposition
"de" is generally used.

Vous avez encore **un** ticket pour le RER?	Non, je **n**'ai **plus de** ticket.
Do you still have a RER ticket?	No, I don't have any more tickets.
Vous avez **des** enfants?	Non, je **n**'ai **pas d**'enfants.
Do you have any children?	No, I don't have any children.
Tu prends **du** pain?	Non, je **ne** mange **pas** de pain.
Would you like some bread?	No, I don't eat bread.

After a negative **"être"** the article remains **"des"**.

    Ce <u>**sont**</u> **des** billets pour le cinéma?
Non, **ce ne <u>sont</u> pas des** billets pour le cinéma.

The use of other negative forms such as **rien** (nothing), **jamais** (never),
personne (nobody) never alters the usual word order with **ne**.

Je **ne** vois **personne**.	I don't see anybody.
Je **n**'achète **rien**.	I don't buy anything.
Je **ne** vais **jamais** au cinéma.	I never go to the cinema.

The Demonstrative Pronouns – Les pronoms démonstratifs

You have already met the demonstrative pronouns in Lesson 7:

ce garçon	**cet** hôtel	**cette** fille	**ces** enfants
this boy	this hotel	this girl	these children

The demonstrative adjuncts are always placed in front of the noun to which they refer, and can never be used without them. If the demonstrative adjunct stands for nouns and subjects already mentioned the demonstrative is used:

	masculine	*feminine*
Singular	**celui**	**celle**
Plural	**ceux**	**celles**

Je ne prends pas **ce pantalon** mais **celui** qui est rouge.
I won't take these trousers, but those that are red.

Je n'aime pas **cette robe**, je préfère **celle** qui est en vitrine
I don't like this shirt, I prefer the one in the window.

Quelle robe veux-tu?
Which shirt would you like?

Celle-ci ou celle-là?
This one here or that one there?

The demonstrative pronouns are formed according to the number and gender of the noun they represent.

Another demonstrative pronoun is **"cela"** (in spoken French short; ed to **"ça"**).

Cela m'intérresse.
Ça va.

This interests me.
Ok, all right.

The Unjoined/Invariable Personal Pronoun - Les pronoms disjoints

The unjoined personal pronouns are:

Singular	**moi**
	toi
	lui
	elle

Plural	**nous**
	vous
	eux
	elles

These pronouns are used in

1) shortened sentences:

Qui veut aller au cinéma?   **Moi**!

Who wants to go to the cinema?   Me!

2) emphasized statements - with the same use as impersonal and personal pronouns (je, tu ...):

Et toi, qu'est-ce que tu veux faire?   **Moi**, je veux aller au cinéma avec eux.

And you, what would you like to do?   Me, I'd like to go to the cinema with them.

3) The unjoined personal pronouns follow a preposition:

Je viens avec **toi**.   I'll come with you.

Je ne peux pas vivre sans *lui*.   I can't live without him.

Elle dîne chez **eux**.   She's eating at theirs this evening.

FRANCE PRATIQUE

Here are various expressions for making suggestions:

... to arrange a meeting/date
   On sort? (Shall we go out?)
   Tu/vous es/êtes libres(s)? (Do you have time?)
   Qu'est-ce que tu/vous fais/faites? (What are you doing?)
   Tu as/vous avez envie de ...? (Do you feel like...?)

... to accept:
   – volontiers! (sure!)
   – avec plaisir! (I'd love to!)
   – entendu! (of course!)
   – d'accord! (alright!)

... to hesitate:
   Je vais réfléchir. (I'll think about it.) Je vais voir. (I'll see.)
   Je te/vous rappelle. (I'll call you back.)

...to refuse:
   Je regrette, je ne peux pas. (I'm sorry, l can't.)
   Je suis désolé(e), c'est impossible. (I'm sorry, it's not possible.)
   Je ne suis pas libre. (I don't have time.)
   Dommage, mais ça ne va pas. (It's a shame, but it is not possible.)

Going to the theatre

Tickets for the same evening can be bought at half price in Paris at :he *"kiosques-théâtres"* (except for Mondays!). Ask at the *"office de tourisme"*.

EXERCICE ÉCRIT

Pair the various sentences together:

1. Oh, Michel Piccoli joue au théâtre en ce moment; vous avez envie de le voir?

2. Bonjour madame, vous avez encore des places pour demain soir ou pour mercredi soir?

3. Ce n'est pas grave; je les prends. A quelle heure finit la pièce?

4. 53 euros? Vous n'avez rien d'autre?

5. Il joue dans une pièce de Marguerite Duras. Bon, nous sommes devant le théâtre, je prends des billets?

6. J'en veux deux; ils coûtent combien?

7. C'est bien; nous n'allons pas rentrer trop tard à la maison! Je peux payer avec ma carte?

a) Attendez, je regarde; ah, il y a encore 2 places à 25 euros au balcon, mais elles ne sont pas ensemble!

b) Bien sûr, monsieur!

c) Elles coûtent 53 euros; vous êtes dans une loge.

d) D'accord, mais pas pour ce soir, je vais dîner chez François.

e) Je regrette, pour demain soir c'est déjà complet. Mais il y a encore quelques places pour après-demain; vous en voulez combien?

f) Oui, volontiers, j'aime beaucoup Piccoli; il joue dans quelle pièce?

g) La pièce commence à 20 h 00; je pense qu'elle va finir vers 22 h 00!

Solution: 1/f–5/d–2/e–6/c–4/a–3/g–7/b

LEÇON 11
Il faut changer?

CD3 **In this lesson you will learn how to buy a rail ticket.**
TOP 13

Learn the following expressions:

Je voudrais les horaires pour ...	I would like a timetable for ...
Je voudrais un aller simple.	I would like a single ticket.
Je voudrais un aller-retour.	I would like a return ticket.
Il faut changer?	Do I have to change?
Départ ... arrivée ...	Departure ... arrival ...
Il faut réserver?	Do I have to reserve?
Vous souhaitez une place fumeurs ou non-fumeurs?	Would you prefer smoking or non smoking?

▷3 Dialogue
14

Contents
Sandra buys her ticket to Lille in a travel agent's. She wants to travel on the TGV, the French high-speed train, where a reservation is necessary. She asks for a timetable and reserves a seat for herself. She gives the necessary information (class, smoking/nonsmoking, etc.).

L'agence de voyages

Narrateur
Sandra va dans une agence de voyages pour acheter un billet de train pour Lille.

Sandra goes to a travel agents to buy a rail ticket to Lille.

Sandra
Bonjour, monsieur. Je voudrais un billet pour Lille. C'est pour demain. Vous pouvez me donner les horaires?

Good morning. I would like to buy a rail ticket to Lille. For tomorrow. Can you tell me the time?

Employee
Oui, bien sûr. Quand voulez-vous partir, demain matin ou demain après-midi?

Yes, of course. When do you want to travel, tomorrow? morning or in the afternoon?

Sandra
J'ai un premier rendez-vous à Lille en fin de matinée. On met combien de temps pour aller de Paris A Lille?

I have a first meeting in Lille before lunch. How long does it take from Paris to Lille?

Employee
Vous savez avec le TGV, c'est rapide. Le train est direct, ce n'est pas nécessaire de changer. Vous avez un train qui part de Paris, gare du Nord, à 7 heures 31 et qui arrive une heure plus tard à Lille à 8 heures 29.

With the TGV it's fastest, you know. It's a direct train, there is no need for changing. There is a train at 7.31, from Paris "Gare du Nord", it arrives at Lille an hour later, at 8.29,

Sandra
C'est un peu tôt. Il n'y a pas de train vers 9 heures? Mon premier rendez-vous est à 11 heures 30.

That's a bit early. Isn't there a train at about 9 o'clock. My first meeting is at 11.30.

11 *Dialogue*

Employee
Alors, vous pouvez prendre un
train à 9 heures 16 et vous êtes à
Lille à 10 heures 14.

You can take a train at 9.16,
and you will arrive at Lille
at 10.14.

Sandra
C'est parfait. Alors, départ à
9 heures 16 et arrivée à 10 heures 14.

Perfect, that means, depart at 9.16,
arrive at 10.14.

Employee
Vous souhaitez un aller simpleou un
aller-retour, en première ou
en seconde?

Would you like a single or a return
ticket first or second class?

Sandra
Un aller-retour, mais je vais
utiliser le retour jeudi matin.
Je dois réserver?

A return ticket, I would like to come -
back on Thursday morning.
Do I need a reservation?

Employee
Ah, madame, avec le TGV il faut
obligatoirement réserver! Donc un
aller-retour en première ou en seconde?

Ah, madame, you always need a
reservation on the TGV! Well, then,
a return ticket, first or second class?

Sandra
En seconde!

Second class!

Employee
Vous voulez une place fumeurs
ou non-fumeurs?

Smoking or nonsmoking?

Sandra
Non-fumeurs et si possible une
place près de la fenêtre!

Nonsmoking, and if possible
a seat at the window.

Employee
Je suis désolé, mais il n'y a plus de
place près de la fenêtre. Et pour le
retour jeudi, vous voulez partir de
Lille vers quelle heure?

I'm sorry, there are no seats
at the window left. And for the
return on Thursday, when would
you like to leave Lille?

Sandra
Attendez je réfléchis. Je dois être
à Paris au plus tard à 8 heures 30.

Hang on, I'll have to think abo t it.
I have to be at Paris at 8.30.

Employee
Vous avez un TGV à 7 heures 34 et
vous êtes à Paris à 8 heures 32.

There is a TGV at 7.34 that arrives
in Paris at 8.32.

Sandra
C'est un peu juste. Et le train
précédent ?

That's tight. And the earlier train?

Employée
Il part une demi heure plus tôt.
Départ à 7 heures 01 et arrivée à
8 heures 02. Cela vous convient?

It leaves half an hour earlier;
at 7.01 and arrives at 8.02
Is that better?

Sandra
Oui, je préfère prendre celui-là.
Je n'aime pas arriver en retard.
Je suppose que je peux prendre un
petit déjeuner dans le train?

Yes, I prefer that one. I don't
like being late. I suppose I can
have breakfast
on the train?

Employée
Oui, il y a un bar où vous pouvez
prendre des boissons chaudes ou
froides et vous pouvez manger
quelque chose. On peut même
acheter des journaux et des magazines.

Yes, it has a bar where you can
buy cold and hot drinks and where
you can eat something. You can buy
newspapers and magazines.

Sandra
Quel luxe! Vous pouvez me donner
une feuille de papier? Je vais tout
noter!

What a luxury! Could you give me a sheet
of paper; I want to put it down.

Employee
Ce n'est pas nécessaire. Toutes les
informations figurent sur votre billet:
numéro du train, compartiment,
place, heures de départ et d'arrivée.
Regardez!

That's not necessary. All the informations
are on the ticket: the number of the train,
compartement, seat, departure and
arrival, look!

Sandra
C'est parfait! Je vous dois?

That's wonderful! How much do I owe you

Employee
83 €, s'il vous plaît.

83.euros , please.

Sandra
Voilà.

Here you are.

Employee
Merci bien. Tenez, je vous donne
un guide pratique TGV. Vous avez
toutes les explications dedans.

Thanks a lot, here, have some
information about the TGV, it is
all explained inside.

EXERCICES

Instructions: You will hear a question or a request which you should answer after the tone in the pause.
You will then hear the correct answer.

You can then compare your answer with the correct answer.

There is an example for each exercise.

CD3 Exercice 1
TOP 15

Sandra wants to travel to Lyon. Answer the questions

 Example:

Voix: ***Sandra prend un aller simple en 1ere***

Vous: ***Non, elle prend un aller-retour en seconde.***

Voix: ***Non, elle prend un aller-retour en seconde.***

Vous: ***Non, elle prend un aller-retour en seconde.***

A vous – and now you:

1. Sandra prend un aller simple
   en 1ère?
   **Non, elle prend un aller-retour
   en seconde.**

   Does Sandra buy a single first
   class ticket?

2. Combien de temps est-ce que le train
   met pour aller de Paris à Lyon?
   Il met deux heures.

   How long does the train take
   from Paris to Lyon?

3. Sandra part de la gare de l'Est
   pour aller à Lyon?
   Non, elle part de la gare de Lyon.

   Does Sandra leave from the
   "gare de l'Est" to go to Lyon?

4. Avec le TGV, il faut réserver?
   Oui, il faut réserver.

   Do you have to reserve on the TGV

5. Sandra prend un train pour Lyon
   en début ou en fin de matinée?
   **Elle prend un train en début
   de matinée.**

   Does Sandra take a train to Lyon
   early or late in the morning?

6. 06 faut-il aller pour prendre
   quelque chose à boire et à manger?
   Il faut aller au bar.

   Where do you have to go to
   get something to eat or drink?

7. Qu'est-ce que vous pouvez aussi
   acheter dans un TGV?
   **Je peux acheter des journaux
   et des magazines.**

   What else can you purchase on
   the TGV?

CD3 Exercice 2

(Timetable)

 Example:

Voix: *L'express part à 12h20;
il met deux heures.*

Vous: *Alors, il arrive à 14h20.*

Voix: *Alors, il arrive à 14h20.*

Vous: *Alors, il arrive à 14h20.*

 A vous — and now you:

1. L'express part à 12h20;
   il met deux heures.
   Alors, il arrive à 14h20.

   The express departs at 12.20;
   it takes 2 hours.

2. Le train pour Lille part à 15h00;
   il met 45 minutes.
   Alors, il arrive à 15h45.

   The train to Lille departs at
   15.00; it takes 45 minutes.

3. Le train pour Epernay part à
   15h20; il met 1h 10 minutes.
   Alors, il arrive à 16h30.

   The train to Epernay departs at
   15. 20; it takes 1 hour and 11 minutes.

4. Le TGV pour Dijon part à 7h12;
   il met 1h 41 minutes.
   Alors, il arrive à 8h53.

   The TGV to Dijon departs at
   7.12; it takes 1 hour and 41 minutes.

5. Le train pour Lausanne part à
   15h50; il met 4 heures.
   Il arrive à 19h50.

   The train to Lausanne departs
   at 15.50; it takes 4 hours.

6. Le train pour Rouen part à 13h47; il met 1 heure.
   Alors il arrive à 14h47.

   The train to Rouen departs. 13.47; it takes 1 hour.

7. Le train pour Amiens part à 21h45; il met une demi-heure.
   Alors il arrive à 22h15.

   the train to Amiens departs at 21.45; it takes half an hour.

⊃3 Exercice 3

17

Times, confirming appointments.

Example :

Voix: **Je vous donne un rendez-vous à 13h00, ça va?**

Vous: **A 1 heure de l'après-midi, ça va!**

Voix: **A 1 heure de l'après-midi, ça va!**

Vous: **A 1 heure de l'après-midi, ça va!**

 A vous - and now you:

1. Je vous donne un rendez-vous à 13h00, ça va?
   A l heure de l'après-midi, ça va!

   I can give you an appointment at 13.00. Is that all right?

2. Je vous retrouve devant le théâtre à 8h30, ça va?
   A 6 heures et demie du soir, ça va!

   I'll meet you at 18.30 in front of the theatre, okay?

3. Tu peux m'appeler à partir de 21h, ça va?
   A partir de 9 heures du soir, ça va!

   Can you call me after 21.00, okay?

4. J'arrive à la gare à 6h25, ça va?
   A 6h25 du matin, ça va!

   I arrive at the station at 6.25, is that all right ?

5. Je passe vous prendre à l'hôtel   I'll pick you up at the hotel at
   à 19h45, ça va?   9.45, OK?
   A huit moins le quart du soir, ça va!

6. On prend le train à 12h 10, ça va?   We're taking the train at 12.10, okay?
   A midi dix, ça va!

7. Vous pouvez venir chez moi à   You can come round to me at
   partir de 15heures, ça va?   3 o'clock, OK.?
   **A partir de trois heures de
   l'après-midi, ça va!**

GRAMMAIRE

Time (2) — L'heure

In official use the minutes are attached to the hours.

16h30	Il est seize heures trente.
17h08	Il est dix-sept heures huit.
19h45	Il est dix-neuf heures quarante-cinq.
21hl 5	Il est vingt et une heures quinze.

Here are some further useful phrases:

depuis une heure	for an hour
dans une heure	in an hour
pendant une heure	an hour long
après une heure	after an hour

The Verbs "dire" (speak), "lire" (read) and "écrire" (write) — Les verbes "dire", "lire" et "écrire"

infinitif	dire	lire	écrire
je	**di**s	**li**s	**écri**s
tu	**di**s	**li**s	**écri**s
il/elle/on	**di**t	**li**t	**écri**t
nous	**dis**ons	**lis**ons	**écri**vons
vous	*dites*	**lis**ez	**écri**vez
ils/elles	**disent**	**lisent**	**écri**vent
Imperatif	dis!	lis!	écris!
	disons!	lisons!	écrivons!
	dites!	lisez!	écrivez!

Remember that the 1., 2. and 3. person plural are ***irregular***!

FRANCE PRATIQUE

In France there are:

— **le train omnibus** (stops at every station)
— **le train rapide** (express)
— **le TGV** (= "train à grande vitesse"; high speed train)
— **le TEE** (= "Trans Europe Express") stops at main stations

To find out about the various reductions, **"tarifs réduits"**, **"réductions"**, ask at the **"bureau des renseignements"**.

To reserve a seat on the train, go to the **"bureau des réservations."**

"Billet" can be bought at the counter, **"guichet"** or from the ticket machine, **"billetterie"**. Don't forget to stamp the ticket, **"composter"**. The ticket punch is on the platform, **"quai/voie"**.

When travelling with the TGV, it is necessary to reserve a seat and pay a supplement, **"un supplément"**. The price for the supplement depends upon the travel time: in the high season **"aux heures de pointe"**, it is more expensive.

EXERCICE ÉCRIT

You want to travel to Yvetot in the Normandy. Here are some sentences from your conversation with the rail employee.
Start with: "Bonjour, je voudrais aller à Yvetot".

1. "Bonjour, je voudrais aller à Yvetot."

2. 12h51? C'est un peu juste; le train précédent arrive à quelle heure?

3. Je vous remercie beaucoup, au revoir.

4. Je dois être dans 4 jours, c'est-à-dire le 24 juin, à 13h00 à Yvetot. J'ai un rendez-vous en centre-ville.

5. Je dois réserver?

6. Je peux avoir sans problèmes la correspondance?

7. Arrivée à 12h27, c'est parfait. Le train est direct?

a) Oui, le train pour Yvetot est déjà en gare quand vous arrivez à Rouen.

b) Oui, monsieur. Quel jour voulez-vous partir?

c) Non, il faut changer à Rouen.

d) De rien; au revoir.

e) Alors, le 24 juin, c'est un mardi; vous avez un train qui part de Paris à 10h51. Il est à Yvetot à 12h51.

f) Il arrive à 12h27.

g) Non, ce n'est pas nécessaire en semaine.

Solution : 1/b – 4/e – 2/f – 7/c – 6/a – 5/g – 3/d.

CD3 In this lesson you will learn:

TOP 19

- how to buy clothes
- how to buy presents

Learn the following expressions:

On s'occupe de vous?	Are you being served?
Vous cherchez quelque chose en particulier?	Are you looking for anything special?
Vous faites quelle taille?	What's your size?
C'est soldé.	It's reduced.
Je peux l'essayer?	Can I try it on?
Vous voulez le passer/essayer?	Do you want to try it on?
Où est la cabine d'essayage?	Where are the changing rooms?
Vous payez en espèces?	Do you want to pay cash?
Je n'ai pas d'argent sur moi.	I haven't got any money on me.
Tapez votre code!	Enter your PIN number!
Appuyer sur la touche "valider"!	Confirm your entry!
Vous pouvez me faire un paquet-cadeau?	Can you wrap it as a present?
Vous faites quelle pointure?	What's your shoe size?

D3 Dialogue
20

Contents:

Sandra and Sophie go shopping after work. They go to a clothes shop,
a shoe shop and a shop for fashion jewellery and presents.
In the conversations they talk about the sizes used in France and use the
phrases for going shopping.

Les magasins

Narrateur
Après le travail, Sandra et Sophie
font les magasins. Elles entrent dans
une petite boutique de vêtements.

After work Sandra and Sophie
go shopping. They go to a
clothes shop.

Vendeur
Vous cherchez quelque chose
en particulier?

Are you looking for anything
special?

Sophie
Non, je regarde seulement,
ce sont les soldes, vous savez!

No, I'm just looking, It's the
sales, you know.

Narrateur
Un peu plus tard.

A little bit later.

Sandra
Regardez, Sophie, je cherche
depuis plusieurs mois une robe
blanche pour aller avec ma veste
en soie rouge. Cette robe-là me
plaît beaucoup. Qu'est-ce que
vous en pensez ?

Look, Sophie, I have been
looking for a white dress to
go with my red silk jacket for
several months. I like that dress
here! What do you think?

Sophie
Elle n'est pas mal du tout. Elle est
en quoi? En coton? Ah non, en lin;
c'est agréable à porter. En plus elle
est soldée à 40 %, vous avez de
la chance! Essayez-la!

It' s not bad at all. What is it
made of? Cotton? Ah, no, linen
that's pleasant to wear. And it's
reduced by 40%, you're lucky!
Try it on!

173

Vendeuse
On s'occupe de vous, mesdames?

Are you being served?

Sandra
Cette robe me plaît bien mais je
crois que ce n'est pas ma taille,
malheureusement!

I like this dress, but I think
it's not my size, unfortunately!

Vendeuse
Vous faites quelle taille?

What's your size?

Sandra
Je fais du 40.

I'm a 40.

Vendeuse
Attendez, je vais regarder! Je
regrette, mais en 40, je ne l'ai plus
en blanc, je l'ai seulement en vert.

Wait a moment, I'll have a look.
I'm sorry, but I haven't got a white
one in 40, I have only a green one.

Sandra
C'est dommage. Je ne porte
jamais de vert.

That's a pity. I never wear green.

Vendeuse
Attendez, je l'ai aussi en marron
dans votre taille.

Wait a moment, there's also
one in brown in your size.

Sandra
Elle n'est pas mal, ... je vais la
passer. Où est la cabine d'essayage,
s'il vous plaît?

It's not bad... I'll try it on.
Where are the changing
rooms, please?

Vendeuse
Regardez là-bas, derrière vous!

Over there, just behind you!

Narrateur
Quelques minutes plus tard.

A few minutes later.

Sophie
Cette robe vous va à merveille.

This dress suits you really well!

Sandra
Elle coûte combien? Ah, j'ai
l'étiquette:99€. Elle n'est pas
donnée! Mais elle me plaît. Je vais
la prendre quand même.

How much is it? Ah, here's the
price label: 99 euros. That's not
exactly cheap! But I like it, I'll
take it anyway.

Narrateur
A la caisse.

At the counter.

Vendeuse
Vous payez comment,
en espèces ou ...?

How would you like to pay
cash or ...?

Sandra
Avec ma carte.

By credit card.

Vendeuse
Merci, vous pouvez taper votre
code et ensuite appuyer sur la
touche "valider".

Thank you. Please enter your PIN
number and then press the
"Confirm" key.

Narrateur
Sophie et Sandra quittent la boutique.

Sophie and Sandra leave the shop.

Sandra
Je n'ai toujours pas de cadeau pour
ma fille cadette. C'est son
anniversaire dans deux semaines,
le 16 juin. Qu'est-ce que je peux lui
offrir? Vous n'avez pas une idée?

I still haven't got a present for my
youngest daughter. It's her birthday
in two weeks, on 16 June.
What can I give her? Have you
got an idea?

Sophie
Du parfum, un livre?

Perfume, or a book?

Sandra
Du parfum, non. Elle n'en met
jamais. Et puis, c'est toujours
difficile de choisir du parfum pour
Quelqu'un. Un livre: c'est en
français ...

No, no perfume. She doesn't use
any. And it's always difficult to
choose perfume for somebody.
else. A book: in French ...

Sophie
Et un bijou de fantaisie? Pourquoi pas
un bracelet ou une bague? Entrons
dans ce petit magasin. J'y viens
souvent. Ils ont plein de choses pas
chères du tout.

What about some fashion jewellery?
Why not a bracelet or a ring?
Let's go into this small shop here.
I go there often. They have lots of
things, which are not expensive at all.

Narrateur
Dans le magasin.

In the shop.

Vendeur
Vous cherchez quelque chose en
particulier, mesdames?

Are you looking for anything
special?

175

Sandra
J'aimerais trouver un petit bijou
pour ma fille.

I'm trying to find a piece of
jewellery for my daughter.

Vendeur
Regardez ici: vous avez des bagues
en argent, des chaînes.

Look: there are some silver
rings, necklaces.

Sophie
Tenez, Sandra, comme il est joli
ce bracelet avec des petits chiens!

Look, Sandra, how beautiful this
bracelet with little dogs is!

Sandra
C'est vrai, ça va lui faire plaisir.
C'est le prix sur l'étiquette?
22,50€, ce n'est pas cher. Vous
pouvez me faire un paquet cadeau?

That's true. She'll like that.
Is this the price on the label
there? 22.50 euros, that's not
expensive. Can you wrap it as a present?

Narrateur
Sandra quitte Sophie. Sur le
chemin de l'hôtel elle entre dans
un magasin de chaussures.

Sandra leaves Sophie, on the way
to the hotel he goes into a shoe
shop.

Sandra
Pardon, madame, vous avez dans
la vitrine une paire de sandales à
80,80€ qui me plaît beaucoup.

Excuse me, you have a pair of
sandals in the window for 80.80
euros that I rather like.

Vendeuse
Ah oui, je vois. Vous faites quelle
pointure?

Oh yes, I know which ones.
What's your shoe size?

Sandra
En principe, je fais du 39 1/2.

Normally I take size 39 1/2.

Vendeuse
Asseyez-vous. Je vais voir si je
les ai dans votre pointure.

Please take a seat. I'll go and look,
if we have them in your size.

Narrateur
Quelques minutes plus tard.

A few minutes later.

Vendeuse
Je suis désolée mais je ne les ai plus en 39 1/2. Mais regardez, j'ai deux modèles similaires: en cuir et en vernis. Vous pouvez les essayer, si vous voulez.

I'm sorry, but I don't have any more 39 1/2s.. But look, I have two similar models: in leather and in patent leather. You can try them on if you like.

Sandra
Celles en cuir sont trop serrées, elles me font mal.

The leather ones are too tight, they are hurting me.

Vendeuse
Vous savez, le cuir, ça se détend ...

But you know that leather stretches ...

Sandra
Elles coûtent combien'? 79 €, je ne sais pas. Attendez, je vais essayer celles en vernis avec une boucle. Elles ne sont pas mal. Je peux essayer l'autre pied? C'est plus prudent; j'ai le pied gauche qui est plus fort que le droit. Elles coûtent combien?

How much are they? 79 euros, I'm not sure. Wait a moment, I'll try the patent leather one with the buckles on. That's not bad. Can I try the other one on? That's not bad. That's safer. My left foot is broader than my right one. How much do they cost?

Vendeuse
Attendez, je regarde sur le carton: 86 €

Wait a moment, I'll look on the shoe box: 86 euros.

Sandra
Elles sont un peu plus chères que celles en cuir mais je les prends. Je pourrais aussi avoir un tube de cirage, s'il vous plaît?

They're a bit more expensive than the leather ones, but I'll take them. Could I also have a tube of shoe cream, please?

Vendeuse
Bien sûr, madame. J'emballe les chaussures et je vous accompagne à la caisse.

Of course. I'll pack the shoes and come to the till with you.

EXERCICES

Instructions: You will hear a a question or a request which you should answer after the tone in the pause.
You will then hear the correct answer.
You can then compare your answer with the correct answer.

There is an example for each exercise.

CD3 Exercice 1
TOP 21

The Comparative — le comparatif

 Example:

Voix: *Une veste en coton est aussi chère qu'une veste en soie?*

Vous: *Non, une veste en coton est moins chère qu'une veste en soie.*

Voix: *Non, une veste en coton est moins chère qu'une veste en soie.*

Vous: *Non, une veste en coton est moins chère qu'une veste en soie.*

A vous -and now you:

1 Une veste en coton est aussi
chère qu'une veste en soie?
Non, une veste en coton est moins
chère qu'une veste en soie.

Is a cotton shirt as
expensive as a silk shirt?

2 Un pantalon en 38 est aussi
serré qu'un pantalon en 42?
Non, un pantalon en 38 est plus
serré qu'un pantalon en 42.

Is a pair of 38 trousers
as tight as a pair of 42 trousers?

3 Le blanc est une couleur moins
fragile que le rouge?
Non, le blanc est une couleur
plus fragile que le rouge.

Is white a less bright colour
than red?

4 En principe, un pantalon soldé
est aussi cher qu'un pantalon de
la nouvelle collection?
Non, en principe, un pantalon
soldé est moins cher qu'un pantalon
de la nouvelle collection.

Is a reduced pair of trousers
just as expensive as a pair
from the new collection?

5 Les chaussures de tennis sont
plus élégantes que les chaussures
en vernis?
Non, les chaussures de tennis sont
moins élégantes que les chaussures
en vernis.

Are tennis shoes more elegant than
patent leather shoes?

6 Offrir un parfum, c'est aussi
difficile d'offrir un bijou
pour Sandra?
Non, offrir un parfum, c'est
plus difficile que d'offrir un
bijou pour Sandra.

Is it just as difficult for Sandra to
give perfume as it is to give
jewellery?

7 Le français est plus facile
que l'anglais?
Non, le français est moins
facile que l''anglais.

Is French easier than
English?

CD3 Exercice 2
TOP 22

The Negatives — les négatifs.
Use either "ne ... plus" or "ne ... jamais".

 Example:

Voix: *La vendeuse a encore un pantalon bleu soldé en 42?*

Vous: *Non, elle n'en a plus.*

Voix: *Non, elle n'en a plus.*

Vous: *Non, elle n'en a plus.*

A vous — and now you:

1. La vendeuse a encore un numero pantalon bleu soldé en 42?
   Non, elle n'en a plus.

   Does the shop assistant have a pair of reduced size 42?

2. Sandra porte du noir?
   Non, elle n'en porte jamais.

   Does Sandra wear black?

3. Sophie achète des vêtements en soie?
   Non, elle n'en achète jamais.

   Does Sophie buy any silk clot les?

4. La vendeuse a encore les chaussures à 80 €?
   Non, elle ne les a plus.

   Does the shop assistant have any shoes for 80 euros left?

5. Sophie a encore du cirage à chaussures chez elle?
   Non, elle n'en a plus.

   Does Sophie still have some shoe cream at home?

6. La fille de Sandra met du parfum?
   Non, elle n'en met jamais.

   Does Sandra's daughter wear perfume?

7. Sandra a encore de l'argent?
   Non, elle n'en a plus.

   Does Sandra still have some money?

D3 EXERCICE 3

23

The agreement with "si"

 Example:

Voix: *Sandra n'aime pas le bleu?*

Vous: *Si, elle aime le bleu.*

Voix: *Si, elle aime le bleu.*

Vous: *Si, elle aime le bleu.*

 A vous - and now you:

1. Sandra n'aime pas le bleu?
   Si, elle aime le bleu.

   Doesn't Sandra like blue?

2. La vendeuse n'a pas de pantalon en 42 pour Sandra?
   Si, elle a un pantalon en 42 pour Sandra.

   Does the assistant have no size 42 trousers for Sandra?

3. Sandra n'achète pas le pantalon plus clair?
   Si, elle achète le pantalon plus clair.

   Doesn't Sandra buy a lighter pair of trousers?

4. Le pantalon n'est pas cher?
   Si, il est cher.

   Isn't the pair of trousers expensive?

5. Sophie n'essaie pas les chaussures en cuir?
   Si, elle essaie les chaussures en cuir.

   Doesn't Sophie try on the patent leather shoes?

6. Sophie ne prend pas les chaussures en vernis?
   Si, elle prend les chaussures en vernis.

   Doesn't Sophie buy the leather shoes?

7. Sandra n'achète pas de
    cadeau pour sa fille?

    Does Sandra not buy a present
    for her daughter?

    Si, elle achète un cadeau pour sa fille.

8. Le vendeur ne fait pas de
    paquet-cadeau?

    Does the assistant not wrap
    the present?

    Si, il fait un paquet-cadeau.

GRAMMAIRE

The Colour Adjectives — les adjectifs de couleur

The colour adjectives follow the same rules as the normal adjectives (Lesson 1) in gender and number regarding the noun. They always follow the noun.

	singular		plural	
	masculine	**feminine**	**masculine**	**feminine**
Green	vert	verte	verts	vertes
Blue	bleu	bleue	bleus	bleues
Grey	gris	grise	gris	grises
Black	noir	noire	noirs	noires
Yellow	jaune	jaune	jaunes	jaunes
Red	rouge	rouge	rouges	rouges
Beige	beige	beige	beiges	beiges
White	blanc	blanche	blancs	blanches
Violet	violet	violette	violets	violettes
Brown	marron	marron	marron	marron
Orange	orange	orange	orange	orange
Navy blue	bleu marine	bleu marine	bleu marine	bleu marin
Light green	vert clair	vert clair	vert clair	vert clair

Tip: In contrast to the colour adjectives in English, in French the adjectives are for-med with the gender and number of the main noun:

mes robes vertes   mes robes sont vertes
my green dresses   my dresses are green

Compound adjectives as well as nouns used as adjectives are unchanged:

des jupes bleu marine   des chaussures marron
navy blue skirts   brown shoes

The Comparative – Le comparatif

The comparative forms of adjectives are formed by adding **"*plus*"** (more) or **"*moins*"** (less) in front of the adjective. The comparison is formed by using **que** (than):

Je suis *plus* **fort** que toi.   I am stronger than you
Je suis *moins* **grand** *que* toi.   I am smaller than you.

The Superlative – Le superlatif

The superlative is formed by putting the definite article in front of the comparative:

Je **suis** *la plus forte*.   I am the strongest.

The same rules for adjectives apply to the comparative and superlative!

The verbs "payer" (pay), "acheter" (buy) and "préférer" (prefer) – Les verbes "payer", "acheter"et "préférer"

These verbs belong to those ending in -er, their endings are regular, only the stem is altered.

Inftnitive	payer		acheter		préférer
je	**pai**e	j'	**achèt**e	je	**préfèr**e
tu	**pai**es	tu	**achèt**es	tu	**préfèr**es
il/elle/on	**pai**e	il/elle/on	**achèt**e	il/elle/on	**préfèr**e
nous	**pay**ons	nous	**achet**ons	nous	**préfér**ons
vous	**pay**ez	vous	**achet**ez	vous	**préfér**ez
ils/elles	**pai**ent	ils/elles	**achèt**ent	ils/elles	**préfèr**ent
Imperative	paie!	Imperative	achète!	Imperative	préfère!
	payons!		achetons!		préférons!
	payez!		achetez!		préférez!

In the 1. and 2. person plural the stem of the infinitive remains:
pay-er, achet-er, préfér-er.
In the 1., 2. and 3. person singular and the 3. person plural the stem of the infinitive is altered:
payer - **pai**-; acheter - **achèt**-; préférer - **préfèr**-

The same for   **nettoyer** (clean)
                 envoyer (send)

FRANCE PRATIQUE

Remember the difference between *"la taille"* **(clothes size) and** *"la pointure"* **(shoe size).**

Learn the following words:

le chemisier	(blouse)	la chemise	(shirt)
le gilet	(cardigan, waistcoat)	la veste	(jacket)
le pullover	pullover		
le manteau	coat	l'imperméable	raincoat
le pantalon	trousers	le tricot	cardigan
la jupe	skirt	la robe	dress
le tailleur	woman's suit, two-piece suit	le costume	suit
le collant	tights	la chaussette	stockings
le chausson / la pantoufle	slippers		

The colours – Les couleurs:

beige	beige	marron	brown
blanc, blanche	white	noir, noire	black
bleu, bleue	blue	orange	orange
gris, grise	grey	rouge	red
jaune	yellow	vert, verte	green

The nouns "marron" and "orange", when used as adjectives, remain unaltered, even in the plural.

There are special adjectives just to describe hair colour:

les cheveux noirs (black)
les cheveux blonds (blond)
les cheveux chatains (chestnut) *les cheveux bruns* (brown)
les cheveux gris (grey)
les cheveux roux (red)
les cheveux blancs (white)

12 *Exercice écrit*

EXERCICE ÉCRIT

You are in a gift shop and are looking for a present. An assistant is helping you.

1. Je crois que le rouge et le bleu sont ses couleurs favorites.

2. Je vous remercie. Au revoir.

3. Oui, je cherche un cadeau pour une dame. Qu'est-ce que vous conseillez?

4. Oui, c'est une bonne idée. Vous en avez en soie?

5. Bon, je le prends; vous pouvez me faire un paquet cadeau?

6. Non, elle en a déjà.

7. Je paie en liquide. Voici 100 euros; je suis désolée, je n'ai pas de monnaie!

8. Il coûte combien?

a) Qu'est-ce que vous pensez d'un bijou?

b) Je le fais tout de suite; Vous payez comment, en liquide ou par carte?

c) Bien sûr! Vous cherchez une couleur en particulier?

d) Et un foulard? Nous en avons de très jolis; c'est la nouvelle collection!

e) Regardez ce foulard rouge avec un peu de bleu clair; il est joli, non? Et c'est de la pure soie!

f) Il coûte 75 euros.

g) Ce n'est pas grave. 20 euros qui font 95 euros et encore 5 euros qui font 100 euros. Voici votre paquet-cadeau madame; n'oubliez pas votre bon de caisse. Au revoir, madame!

LEÇON 13
Vous avez une chambre
pour une personne?

CD3 In this lesson you will learn:

- how to book a hotel room per telephone;
- how to ask for the most important things (price and facilities);
- how to check into a hotel

Learn the following expressions:

Vous avez une chambre pour une personne?	Do you have a single room?
Vous avez une chambre avec salle de bains?	Do you have a room with a bath?
Vous avez une chambre avec douche?	Do you have a room with a shower?
Elle coûte combien?	How much is that?
Le petit déjeuner est compris?	Is breakfast included?
Le petit déjeuner est en supplément.	Breakfast is extra.
Vous pouvez me préparer la note?	Can you write the bill?
Je peux déposer mes bagages?	Can I leave my luggage here?
Vous pouvez m'appeler un taxi?	Can you call me a taxi?

CD3 Dialogue

Contents:

Sandra rings up various hotels in Lille to reserve a room for her trip to Lille. The first hotel is fully booked. During the second call to a hotel they talk about various facilities (with a bath or a shower, etc.), and Sandra books a room. The final dialogue covers the arrival at the hotel and check in.

L'hôtel

Narrateur
Il est huit heures du soir. Sandra veut réserver une chambre d'hôtel à Lille.

It's 8 in the evening. Sandra wants to book a hotel room in Lille.

Réceptioniste
Hôtel Astorion, bonsoir!

Hotel Astorion, good evening!

Sandra
Bonsoir. Je voudrais réserver une chambre pour demain soir.

Good evening. I would like to book a room for tomorrow night.

Réceptioniste
Oh, cela va être difficile pour demain soir. Vous voulez une chambre pour combien de personnes ?

Oh, for tomorrow night, that will be difficult. For how many people.do you want to book?

Sandra
Pour une personne

Just for one person

Réceptioniste
Je suis désolé, mais je n'ai plus de chambre pour une personne. complets. Vous savez, en ce moment il y a deux congrès à Lille, alors ...

I'm sorry, but I don't have any single room free. We're fully booked. Youknow that there are two congresses on in Lille at the moment, so ...

Sandra
Je comprends, merci. Au revoir.

I understand, thanks. Goodbye.

Réceptioniste
Hôtel Ibis, bonsoir!

Hotel Ibis, good evening!

Sandra
Bonsoir, vous avez encore une chambre pour une personne pour demain soir'?

Good evening, do you have a room free for tomorrow evening?

Réceptioniste
Attendez, je regarde. J'ai encore une chambre avec douche. Cela vous convient?

Wait a moment, I'll have a look. I have a room with a shower still free. Is that all right?

Sandra
Vous n' avez plus de chambre avec salle de bains?

Do you not have a room 'with a bathroom?

Réceptioniste
Je regrette, madame, mais nous n'avons plus que des chambres

I"m sorry, but we only have rooms with showers. avec douche.

Sandra
Oui, je sais avec les congrès... Elle coûte combien?

Yes, I know, because of the congresses. How much does it cost?

Réceptioniste
50 euros.

50 euros.

Sandra
Le petit déjeuner est compris?

Does that include breakfast?

Réceptioniste
Non, il est en supplément. Il coûte 5 €.

No, breakfast is extra. It costs 5 euros.

Sandra
Bon, je prends la chambre.
J'espère qu'elle est calme.

Good, I'll take the room
I hope that it's quiet.

Réceptioniste
Oui, madame. Nous n'avons que trois étages et votre chambre donne sur une petite cour. Il n'y a pas de problèmes de bruit. C'est à quel nom?

Yes, we only have three storeys, and your room looks out onto a small yard. There is no noise problem. What is the name, please?

Sandra
Reiter. Je vous épelle, peut-être?

Reiter. I'll spell that perhaps?

Réceptioniste
Oui, merci.

Yes, thank you.

Sandra
R. e. i. t. e. r. L'adresse, c'est bien rue Lepelletier?

R. e. i. t. e. r. Is the address correct: Rue Lepelletier?

Réceptioniste
Oui, c'est bien ça!

Yes, precisely.

Sandra
Au revoir. A demain!

Good bye. I will see you tomorrow.

Réceptioniste
Au revoir, madame.

Good bye.

Narrateur
Mercredi à 10 h 14: Sandra arrive à Lyon. Elle va à l'hôtel.

Wednesday, 10.14: Sandra ives in Lyon She goes to the hotel.

Sandra
Bonjour, j'ai réservé une chambre pour ce soir. J'ai encore un peu de temps avant ma réunion. Est-ce que je peux déjà déposer mes bagages? Cela ne pose pas de problèmes?

Good morning, I have a reservation for this evening. I have some time before my appointment. Could I leave my luggage here? That isn't a problem?

Réceptioniste
Non, madame. C'est à quel nom?

Not at all. What is the name please?

Sandra
Reiter

Reiter.

Réceptioniste
Ah oui, je vols... une chambre pour une personne avec douche. Vous restez une nuit, c'est correct?

Oh yes, I know... a single room with shower. You're staying the one night, isn't that right?

Sandra
C'est bien ça

That's correct.

Réceptioniste
Si vous voulez bien remplir la fiche. Il n'est que 10 h 30. Je regarde si la chambre est déjà préte. Un instant ... Oui, elle est prête

If you would fill in this form. It is just 10.30. I'll just see if the room has been made up. One moment ... Yes, it's ready.

Réceptioniste
Voici la clé, c'est la chambre 312, au troisième étage. Vous avez l'ascenseur derrière vous.

Here is the key, it's number 312 on the third floor. The Lift is behind you.

Sandra
Merci. Mais je n'ai qu'un petit sac, je vais prendre l'escalier. Une question: à partir de quelle heure servez-vous le petit déjeuner ? Je dois partir très tôt demain matin.

Thank you. But I just have a small bag, I'll take the stairs. Just one question, what time do you start serving breakfast? I must leave early tomorrow.

Réceptioniste
Nous le servons à partir de 6 h 30 jusqu'à 10 h 30.

Breakfast is available from 6.30 to 10.30.

Sandra
Je ne vais pas avoir le temps de le prendre: mon train part à 7 heures. Vous pouvez me réveiller à 6 heures 15 et aussi me préparer la note. Est-ce que vous pouvez aussi m'appeler un taxi pour 6 heures 45 demain?

I won't have time for breakfast. My train leaves at 7 o'clock. Could you wake me at 6.15 and have the bill ready?
Could you also call me a taxi for 6. 45?

Réceptioniste
Bien sûr, madame!

But of course.

Sandra
Merci; au revoir.

Thank you, good bye.

Receptionist
Au revoir, madame! Je vous souhaite un bon séjour à Lille!

Good bye. I wish you a pleasant stay in Lille!

EXERCICES

Instructions: There is an example for each exercise.

Exercice 1

Answer the following questions.
Sandra a réservé une chambre d'hôtel.

 Example:

Voix: *Sandra veut réserver une chambre pour ce soir?*

Vous: *Non, elle veut réserver une chambre pour demain soir.*

Voix: *Non, elle veut réserver une chambre pour demain soir.*

Vous: *Non, elle veut réserver une chambre pour demain soir.*

 A vous — and now you:

1. Sandra veut réserver une chambre pour ce soir?
   Non, elle veut réserver une chambre pour demain soir.

   Does Sandra want to book a room for this evening?

2. L'hôtel Astorion a encore des chambres pour une personne?
   Non, il n'a plus de chambres pour une personne

   Does the Hotel Astorion still have a single room?

3. L'hôtel du Rhône a encore des chambres avec salle de bains pour une personne ?
   Does the Hotel Rhône still have single rooms with bath?
   Non, il n'a plus de chambres avec salle de bains pour une personne.

4. Le petit déjeuner est compris?
   Is breakfast included?
   Non, il n'est pas compris.

5. La chambre donne sur une petite rue?
   Does the room look out onto a small street?
   Non, elle donne sur une petite cour.

6. Dans l'hôtel il n'y a pas d'ascenseur ?
   Is there no lift in the hotel?
   Si, il y a un ascenseur.

7. Sandra veut régler la note tout de suite?
   Does Sandra want to pay the bill immediately?
   Non, elle veut régler la note demain matin.

 Exercice 2

28

Answer the following questions.
This next part is about the use of "ne... que" instead of "seulement" (only).

E Example:

Voix: **Sandra reste plusieurs nuits à l'hôtel?**

Vous: **Non, elle ne reste qu'une nuit à l'hôtel.**

Voix: **Non, elle ne reste qu'une nuit à l'hôtel.**

Vous: **Non, elle ne reste qu'une nuit à l'hôtel.**

A vous – and now you:

1. Sandra reste plusieurs nuits à l'hôtel?

   Does Sandra stay several nights in the hotel?

   Non, elle ne reste qu'une nuit à l'hôtel.

2. A l'hôtel du Rhône, il y a encore des chambres avec salle de bains?

   Are there still rooms in the Hotel du Rhone with a bath?

   Non, il n'y a plus que des chambres avec douche.

3. Sandra a beaucoup de bagages?

   Has Sandra got a lot of luggage?

   Non, elle n'a qu'un sac de voyage.

4. L'hôtel a huit étages?

   Does the hotel have eight floors?

   Non, l'hôtel n'a que trois étages.

5. A l'hôtel, on peut déjà prendre le petit déjeuner à partir de 6 heures?

   Can one have breakfast from six in the morning?

   Non, on ne peut prendre le petit déjeuner qu'à partir de 6 heures 30.

6. Il y a 3 congrès en ce moment à Lyon?

   Are there three congresses on in Lyon at the moment?

   Non, il n'y a que deux congrès en ce moment à Lille.

7. Sandra a deux clés pour l'hôtel?

   Does Sandra have two keys to the hotel?

   Non, elle n' a qu'une clé.

3 Exercice 3
29

Number revision - révision des chiffres!

 Example:

Voix: *Sandra téléphone à 8 heures du matin à l'hôtel Astorion?*

Vous: *Non, elle téléphone à huit heures du soir à l'hôtel.*

Voix: *Non, elle téléphone à huit heures du soir à l'hôtel.*

Vous: *Non, elle téléphone à huit heures du soir à l'hôtel.*

 A vous - and now you:

1. Sandra téléphone à huit heures du matin à l'hôtel Astorion?
   Non, elle téléphone à huit heures du soir à l'hôtel Astorion.

   Does Sandra call the Hotel Astorion at eight in the morning?

2. La chambre coûte combien?
   Elle coûte 50 euros.

   How much does the room cost?

3. Le petit déjeuner coûte 7 euros?
   Non, il ne coûte que 5 euros.

   Does the breakfast cost 7 euros?

4. Sandra a la chambre 104?
   Non, elle a la chambre 312.

   Is Sandra in room number 104?

5. La chambre est au 1 er étage?
   Non, elle est au troisième étage.

   Is the room on the first floor?

6. Le petit déjeuner est de sept heures jusqu'à 11 heures du matin?
   Non, il est de six heures trente à dix heures trente du matin.

   Is breakfast served from 7 until 11 in the morning?

7. L'adresse de l'hôtel, c'est 59 rue Turenne?
   Non, l'adresse, c'est 95 rue Lepelletin.

   Is the hotel's address rue Turenne 59?

GRAMMAIRE

The Verbs "manger"and "commencer":

infinitif	manger	commencer
je	**mang**e	**commenc**e
tu	**mang**es	**commenc**es
il/elle/on	**mang**e	**commenc**e
nous	**mang**eons	**commen**çons
vous	**mang**ez	**commenc**ez
ils/elles	**mang**ent	**commenc**ent
imperatif	mange!	commence!
	mangeons!	commençons!
	mangez!	commencez!

Attention: In the 1st person plural: nous mangeons an **"e"**
In he 1st person plural: nous commençons an **"ç"** (c cédille) is added.

Forming Questions – Poser des questions

1. The intonation
In the first lesson you learned that the question has a slight raise in the voice at the end of the sentence.
Example: Tu t'appelles comment?
             What is your name?

2. Yes/no questions with "est-ce que"
When the sentence begins with **"est-ce que"** the structure of the sentence remains unchanged (subject, predicate, object). A yes/no question is answered with **oui** or **non**.
Example: Est-ce que vous avez des enfants?   Oui, j'ai deux fils.
             Do you have any children?   Yes, I have two sons.
             Est-ce que Sandra habite en France?   Non, elle habite en Allemagne.
             Does Sandra live in France?   No, she lives in Germany

3. Questions with the interrogative and "est-ce que"

pron interrog.	est-ce que	interrogative
Où	**est-ce que** Sandra habite?	Elie habite à Paris.
	Where does Sandra live?	She lives in Paris.

Qu'	**est-ce que** c'est un bouquin?	C'est un livre.
	What is a bouquin?	It is a book.
Qu'	**est-ce qu'**elle fait dans la vie?	Elle travaille pour la société Instrumedic.
	What does she do for a living?	She works for Instrumedic.
Quand	**est-ce que** vous partez?	Je pars demain.
	When are you going?	I am going tomorrow.
Comment	**est-ce que** vous allez au bureau?	Je vais au bureau à pied.
	How do you get to the office?	I walk to the office.
Combien	**est-ce-que** je vous dois?	Vous me devez 50 francs.
	How much do I owe you?	You owe lme 50 francs.

4. Question without "est-ce que"

Qui	est Sandra?	Elle est la collègue de Bernard.
	Who is Sandra?	She is Sophie's colleague.
Qui	garde les enfants de Sophie?	C'est une voisine qui est à la retraite.
	Who looks after Sophie's	A neighbour who is a pensioner. children?

When *qui* is in front of the verb "être" , you never use "est-ce que".

5. Questions with the interrogative and inversion

pron interrog	predicate	subject
Quelle heure	est-il?	Il est 8 heures.
	How late is it?	It is 8 o'clock.
Où	sont les filles de Sandra?	Elles sont chez leur grandmère.
	Where are Sandra's sons?	They are at their grandmother's.
Combien	coûtent les tomates?	Elles coûtent 1 euro le kilo.
	How much do the tomatoes cost?	They cost 1 euro a kilo.

6. Inverted questions with personal pronouns

(These sort of questions belong to the more refined class of French.)

Pourriez-vous me dire si M. Dominart est là?

Could you tell me whether Monsieur Dominart is there?

Avez-vous des enfants? – Do you have any children?

Attention: There is a dash between the verb and the pronoun!

FRANCE PRATIQUE

Le "tourisme".

Price lists can be found at the reception, *"réception"* and in each *"chambre"*. Normally the price is per room and not per person. An extra bed, *"un lit supplémentaire"*, can be placed in the room for a *"supplément"* and in many hotels the whole family can sleep in one room.

Many hotels have a French double bed, *"un lit pour deux personnes"* or *"deux lits pour deux personnes"*: one must always stress what one wants,

There is the choice between *"demi-pension"*, *"pension complète"*, *prix "basse saison"*. Often breakfast is not included in the basic price. This is always shown at reception.

There are hotels ranging from one to four stars, *"une, deux, trois, quatre étoiles"*.
Sometimes a small amount must be paid when booking in advance.

There are increasing numbers of *"chambres d'hôtes"* (bed and breakfast).

EXERCICE ÉCRIT

Mrs. Schneidermann wants to book two rooms in a hotel. Here is her conversation with the hotelier. Try to find the right order.

1. Elles coûtent 40 euros.

2. Oui, madame. Vous restez combien de nuits?

3. Non, il n'est pas compris; il coûte 4 euros. Je peux avoir votre nom?

4. Ah, je regrette madame, nous n'acceptons pas les chiens.

5. Ce n'est pas grave. Au revoir madame.

6. Pour trois nuits, d'accord! Vous désirez avoir des chambres avec salle de bains ou avec douche?

7. Vous pouvez épeller, s'il vous plaît!

8. Si vous voulez deux chambres qui communiquent, je peux vous proposer une chambre avec salle de bains à 45 euros et une autre chambre pour vos enfants à 22 euros;

9. Oui, elle n'a pas de lavabo et pas de toilettes, mais il y a une salle de bains juste en face de la chambre.

a) Bonjour, je voudrais réserver deux chambres: une pour mon mari et moi, et l'autre pour nos deux enfants.

b) Oui, c'est Erika Schneidermann.

c) C'est dommage; eh bien, je dois chercher un autre hôtel. Au revoir monsieur!

d) S.c.h.n.e.i.d.e.r.m.a.n.n. J'ai une question: nous avons un petit chien; ça ne pose pas de problème?

e) 40 euros la chambre? Et les chambres communiquent? Vous savez, nos enfants sont encore petits!

f) Les chambres avec douche, elles coûtent combien?

g) D'accord, je les prends; est-ce que le petit déjeuner est compris?

h) Une chambre 22 euros?

i) Trois nuits, à partir de demain soir.

LEÇON 14
Vous avez choisi?

CD4 In this lesson you will learn how to:
TOP 1

- order a table in a restaurant;
- select food and drink in a restaurant;
- order something in a restaurant

Learn the following expressions:

Je voudrais réserver une table pour trois personnes.	I would like to reserve a table for three people.
Comme entrée, j'aimerais ...	I would like... as a starter.
Comme plat principal, je prends	I would like ... for the main course.
Qu'est-ce que vous suggérez?	What do you recommend')
Ça n'a pas 1'air mal !	Doesn't look bad ! / That sounds good.
Vous avez choisi?	Have you chosen?
Je vais goûter...	I would like to try ...
Ça a l'air délicieux!	That looks delicious!
Je prends la viande saignante, à point, bien cuite.	I would like it rare, medium, well done.
Je pourrais avoir l'addition?	Can I have the bill?

D4 Dialogue

Contents:

Early on in the day Monsieur Petit's secretary orders a table in a restaurant. Monsieur Petit, his colleague, Madame Thibaut and Sandra Reiter come into the restaurant, ask for their reserved table and choose their food and drink. The waiter guides them. They finally order, as is customary in France, a starter, a main course, dessert and/or cheese and ask for the bill with the coffee.

Au restaurant

Narrateur
A Lille: La secrétaire de M. Petit veut réserver une table au restaurant.

In Lille: Monsieur Petit's secretary wants to book a table in a restaurant.

Restaurateur
Restaurant Le Moulin de Becquerel, bonjour!

Restaurant Le Moulin de Becquerel, good day!

Secrétaire
Bonjour. Je voudrais réserver une table pour ce soir. C'est encore possible?

Good day. I would like to reserve a table for this evening. Is that still possible?

Restaurateur
Ça dépend: pour combien de personnes et à quelle heure?

It depends on how many people and at what time?

Secrétaire
Vous avez une table pour trois personnes vers 19 h 30?

Do you have a table for three at about 19.30?

Restaurateur
Oui, ça va, une table pour trois personnes à 19 h 30. Fumeurs ou non-fumeurs?

Yes, that's okay for three people at 19.30. Smoking or nonsmoking?

Secrétaire
Fumeurs, s'il vous plaît!

Smoking please!

Restaurateur
C'est à quel nom?

Under which name?

Secrétaire
Monsieur Petit.

Monsieur Petit.

Restaurateur
Entendu, madame. Au revoir!

That's fine. Goodbye!

Narrateur
Il est 19 h 30; M. Petit et Mme Thibaut arrivent au restaurant avec Sandra.

It is 19.30. Monsieur Petit and Madame Thibaut arrive with Sandra in the restaurantt.

Restaurateur
Bonsoir, mesdames, bonsoir, monsieur. Vous avez réservé?

Good evening.
Do you have a reservation?

M. Petit
Oui, ma secrétaire a réservé une table pour trois personnes.

Yes, my secretary has reserved a table for three people.

Restaurateur
A quel nom?

Under which name?

M. Petit
Petit.

Petit.

Restaurateur
Ah oui, je vois. Veuillez me suivre s'il vous plaît! C'est la table là-bas, juste à côté de la fenêtre.

Oh yes, I remember. Would you follow me please? It is the table over there next to the window.

Narrateur
Quelques minutes plus tard.

Several minutes later.

Restaurateur
Vous êtes prêts à commander?

Are you ready to order?

M. Petit
Mme Reiter, vous avez choisi?

Madame Reiter, have you chosen something?

Sandra
Comme hors d'oeuvre, je vais prendre des huîtres chaudes.
Je n'en ai jamais mangé!

As a starter I would like the warm oysters.
I have never had them before!

Mine Thibaut
Moi, je vais goûter le tartare de saumon à la ciboulette.

I would like to try the salmon tatare with parsley.

M. Petit
Moi aussi.

Me too!

Restaurateur
Et après cela?

And then?

Sandra
J'hésite ... finalement je vais prendre un magret de canard aux griottes.

I'm still thinking ... I'll have the breast of duck with sour cherries.

Restaurateur
Vous le voulez comment: saignant, à point ou bien cuit?

How would you like it: rare, medium or well done?

Sandra
A point.

Medium.

Mme Thibaut
J'adore le poisson, j'aimerais une brochette de filets de poissons aux langoustines.

I love fish, I'd like the skewered fillet of fish with crayfish.

Restaurateur
C'est la spécialité de la maison! Et pour vous, monsieur?

That's the speciality of the house. And for you, sir?

M. Petit
Je prends aussi un magret de canard, ça a l'air délicieux!

I'll take the breast of duck as well, it sounds delicious!

Restaurateur
Et comme boissons, avez-vous déjà regardé la carte des vins?

And something to drink. Have you already seen the wine list?

M. Petit
Oui, j'ai jeté un coup d'oeil. Qu'est-ce que vous conseillez comme vin blanc pour l'entrée?

Yes, I've had a glance at it. Which white wine would you suggest for the starters?

Restaurateur
Je peux vous proposer un pouilly fumé ...

I can recommend a Pouilly fumé ...

M. Petit
Je vous fais confiance. Et comme vin rouge, nous prenons une bouteille de julienas. Quelqu'un veut de l'eau peut-être?

I'll take your word. And as for the red wine, we'll take a bottle of Julienas. Would anyone perhaps like some water?

Sandra
Oui, s'il vous plaît!

Yes, please!

Restaurateur
Qu'est-ce que vous préférez: de l'eau plate ou gazeuse?

Which would you prefer: still or sparkling?

Sandra
Cela m'est égal.

It doesn't matter which.

Narrateur
Une heure plus tard.

An hour later.

Sandra
C'était délicieux!

That was delicious!

Restauratrice
Le plateau de fromages ou le dessert?

Would you like cheese or a dessert?

Sandra
Pas de fromage pour moi;
je n'aime pas tellement.

No cheese for me, I don't like
cheese very much.

Mine Thibaut
Moi non plus et toi, Marc?

I don't either, and you, Marc?

M. Petit
Non merci, je préfère le sucré!
Qu'est-ce que vous avez comme dessert?

No thanks, I prefer something
sweet! What do you have for dessert ?

Restauratrice
Des profiteroles, une tarte fine aux
pommes, une charlotte aux poires,
un soufflé de fraises à la meringue
ou des sorbets.

Filled profiteroles, an apple
tart, pear charlotte, strawberry
soufflé with meringue or sorbets.

Sandra
Je me laisse tenter par la tarte
aux pommes.

I'll let myself be tempted by the
apple pie.

Mme Thibaut
Pour moi des profiteroles,
j'adore le chocolat.

I'll take the profiteroles, I love
chocolate.

M. Petit
Je prends le soufflé de fraises. Ensuite
trois cafés pour terminer, et vous
m'apportez aussi l'addition, s'il
vous plaît.

I'll take the strawberry soufflé.
Afterwards we'll take three
coffees and bring me the bill as
well.

Sandra
Pardon, mais je pourrais avoir
un décaféiné?

Excuse me, but could I have a
decaffeinated coffee'?

Restauratrice
Oui, bien sûr, madame.

Yes, of course.

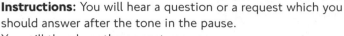
EXERCICES

Instructions: You will hear a question or a request which you should answer after the tone in the pause.
You will then hear the correct answer.
You can then compare your answer with the correct answer.

There is an example for each exercise.

D4 Exercice 1
ᴅᴘ 3

Correct the following information.

 Example:

Voix: *La secrétaire réserve une table pour 22 heures?*

Vous: *Non, elle réserve une table pour 19h30.*

Voix: *Non, elle réserve une table pour 19h30.*

Vous: *Non, elle réserve une table pour 19h30.*

 A vous — and now you:

1. La secrétaire réserve une table   Does the secretary reserve a
   pour 22 heures?   table for 10 p.m.?
   Non, elle réserve une table pour 19h30.

2. La table est juste à côté   Is the table right next to the
   de la porte?   door?
   Non, elle est juste à côté de la fenêtre.

3. Comme hors d'oeuvre, qu'est-ce   What do madame Thibaut and
   Mme Thibaut et M. Petit prennent?   Monsieur Petit have as starters?
   Comme hors d'oeuvre, ils prennent
   le tartare de saumon à la ciboulette.

4. Quelle est la spécialité de la maison?
   C'est la brochette de filets de poisson aux langoustines.

   What is the speciality of the house?

5. Sandra préfère la viande saignante, à point ou bien cuite?
   Elle préfère la viande à point.

   Does Sandra prefer her eat rare, medium or well done?

6. Qu'est-ce que M. Petit demande avec le dessert et les cafés?
   Il demande l'addition.

   What does Monsieur P, tit ask for with the dessert and the coffees?

CD4 Exercice 2
TOP 4

The Compound Past -- l'emploi du passé composé

 Example:

Voix: **La secrétaire a réservé une table pour trois personnes?**

Vous: **Oui, elle a réservé une table pour trois personnes.**

Voix: **Oui, elle a réservé une table pour trois personnes.**

Vous: **Oui, elle a réservé une table pour trois personnes.**

A vous - and now you:

1 La secrétaire a réservé une table
pour trois personnes ?
*Oui, elle a réservé une table pour
trois personnes..*

Has the secretary reserved a
table for 3 people?

2. Sandra et ses collègues ont
beaucoup travaillé?
Oui, ils ont beaucoup travaillé.

Have Sandra and her
colleagues worked hard?

3. Sandra a déjà mangé
des huîtres chaudes?
Non, elle n'en a jamais mangé.

Has Sandra already eaten
warm oysters?

4. Qu'est-ce que Sandra a pris
comme plat principal?
*El a pris un margret de
canard aux griottes.*

What has Sandra chosen
as the main course?

5. Qu'est-ce que M. Petit a choisi
comme vin rouge?
Il a choisi une bouteille de Julienas.

Which red wine has
Monsieur Petit chosen?

6. Qu'est-ce que Mme Thibaut
a choisi comme dessert?
Elle a choisi des profiteroles.

What has Madame Thibaut
chosen for dessert?

CD4 Exercice 3

TOP 5

Emploi de "moi aussi"/"moi non plus".
Complete the exercise using "moi aussi"/"moi non plus"

 Example:

Voix: *Je prends un apéritif, et vous?*

Vous: *Moi aussi, j'en prends un.*

Voix: *Moi aussi, j'en prends un.*

Vous: *Moi aussi, j'en prends un.*

 A vous — and now you:

1. Je prends un apéritif et vous?   I'll have an aperitif, and you?
   Moi aussi, j'en prends un.

2. Je n'aime pas les escargots,   I don't like snails, and you?
   et vous?
   Moi non plus, je ne les aime pas.

3. Je ne bois jamais de vin blanc,   I never drink white wine,
   et vous?   and you?
   Moi non plus, je n'en bois jamais.

4. Je n'aime pas les plats en sauce,   I don't like meals with sauce,
   et vous?   and you?
   Moi non plus, je ne les aime pas.

5. Je prends du fromage et vous?   I'll take the cheese, and you?
   Moi aussi, j'en prends.

6. Je voudrais un sorbet, et vous?   I'd like a sorbet, and you?
   Moi aussi, j'en voudrais un.

7. Je ne prends jamais de café,   I never drink coffee, and you?
   et vous?
   Moi non plus, je n'en prends jamais.

GRAMMAIRE

The perfect Tense with "avoir"– le passé composé avec "avoir"

The **passé composé** is, like the "futur composé", a compound tense. It describes events and actions in the past.
It is conjugated with the present tense form of the auxiliary verb "avoir" and the **participe passé** (participle).

AVOIR + PARTICIPE PASSÉ = passé composé

Example: J'ai acheté un cadeau pour mon fils.
             I have bought a present for my son.

             Nous avons compris les mots.
             We have understood the words.

1. forming the "participe passé"
The regular verbs:

Infinitive ending	participle ending
-er	-é
-dre	-u
-ir	-i

The participle is formed by adding the appropriate form of the participle to the stem of the infinitive:

Infinitive		participe passé	
manger	j'**ai**	**mangé**	I have eaten
payer	j'**ai**	**payé**	I have paid
regarder	j'**ai**	**regardé**	I have looked
attendre	j'**ai**	**attendu**	I have waited
vendre	j'**ai**	**vendu**	I have sold
rendre	j'**ai**	**rendu**	I have given back
finir	j'**ai**	**fini**	I have finished
dormir	j'**ai**	**dormi**	I have slept
choisir	j'**ai**	**choisi**	I have chosen

Irregular verbs

avoir	j'ai	eu	I have had
boire	j'ai	bu	I have drunk
dire	j'ai	dit	I have said
être	j'ai	été	I have been
faire	j'ai	fait	I have made
falloir	il a	fallu	one has used
lire	j'ai	lu	I have read
prendre	j'ai	pris	I have taken
vouloir	j'ai	voulu	I have wanted

In the negative form, the conjugated verb avoir is enclosed by the negative form. The participle follows the negative form:

Je **n'ai pas** mangé.	I have not eaten.
Sandra **n'a pas** compris la phrase.	Sandra has not understood the sentence.
Nous **n'avons pas lu** ce livre.	We have not read this book.

When the sentence contains an object pronoun, this is always in front of avoir:

Tu as vu *Michel*?	Non, je **ne l'ai pas vu.**
Have you seen *Michel*?	No, I have not seen him.
Tu as attendu *Jean*?	Non, je **ne l'ai pas** attendu.
Have you waited for *Jean*?	No, I have not waited for him.

2. *The Adaptability of the "participe passé"*
The participle "avoir" only changes in the perfect when an accusative object precedes the conjugated form of "avoir". The accusative object can be an object pronoun for example:

J'ai regardé *Sandra*.	The accusative object follows the conjugated
I have looked at Sandra.	verb, the "participe" is not altered. – The accusative
Je **l'ai regardée.**	accusative object l' precedes the conjugated verb;
I have looked at her.	l' is feminine singular; so it becomes regardé**e** with e. The direct object
J'ai regardé les enfants.	"enfants" follows the conjugated verb;
I have looked at the children.	the "participe" remains unaltered.
Je **les** ai regardés.	les is masculine plural; so it become,
I have looked at them.	regardés with s.

The participle is formed according to the number and gender of the accusative object when it precedes the verb "avoir".

FRANCE PRATIQUE

A list with the various restaurants in a town can be found at the **"office de tourisme" / "syndicat d'initiative"**. Restaurant guides are also useful, and are to be found in bookshops. Examples are the **"guide Michelin"** or the **"guide Gault Millau"**.

There are restaurants, which are either

"à la carte"	separate dishes from the menu
"menu gastronomique"	high class
"menu touristique"	value for money menu for tourists
"menu du jour"	set menu.

Restaurants are not the only place to eat in France.
There are special foods or smaller meals available:

dans
– le bistrot / le café:	plat du jour / bifteck-frites (steak and chips)
– la brasserie:	choucroûte/plat du jour/salades
	(Sauerkraut/daily menu/ salads)
– la crêperie:	crêpes (thin pancakes)
– le routier:	plat du jour (set menu: fast/filling/not expensive)

One can often see signs on bypasses advertising certain restaurants and brasseries, often there for lorry drivers. But don't worry, the food and the atmosphere is often excellent for a break.

EXERCICE ÉCRIT

You are with a friend in a bistro and would like to order something to eat and drink. The waiter asks you: "Bonjour, messieurs, vous désirez?" Conduct the conversation in the right order:

1. Qu'est-ce que c'est un croque-monsieur?

2. Moi aussi! J'ai un peu faim: qu'est-ce que vous avez à manger?

3. Alors une omelette nature, un croque-monsieur, et deux bières, ça arrive tout de suite!

4. Ça a l'air bon, j'en prends un. Et toi, tu veux manger quelque chose?

5. Derrière vous, près du comptoir.

6. J'ai soif, je vais prendre une bière; et toi Marc?

7. J'aimerais bien une omelette nature, c'est tout.

8. A manger, je peux vous proposer des sandwichs, des croque-monsieurs, des salades ou une omelette nature.

9. C'est 2 tranches de pain grillé avec du jambon et du fromage au milieu.

10. Attendez, vous pouvez me dire où il y a un téléphone ?

Solution : 6 – 2 – 8 – 1 – 9 – 4 – 7 – 3 – 10 – 5

CD4 In this lesson you will learn how one explains something
TOP 7 in the past tense

Learn the following expressions:

Comment s'est passé votre séjour à Lille?	How did your trip to Lille go?
Comment s'est passée votre visite chez Cariset?	How was your visit to Cariset?
Vous êtes arrivé(e) hier à l'heure?	Did you arrive on time yesterday?
Qu'est-ce que vous pensez de ...? Cela vous a plu?	What do you think about ... Did you like it?

CD4 Dialogue
TOP 8

Contents:

Sandra tells her colleague Bernard about her trip to Lille. She tells him about the trip on the TGV, where she met a student. She tells him about her visits to the Médèque and Legrand companies, her conversations with Monsieur Legrand from the Médèque company and about the meal in the restaurant with Monsieur Petit and Madame Thibaut, the two colleagues of Monsieur Dominart from the Legrand company.

Au bureau

Narrateur
Au bureau à Paris: Sandra raconte sa journée à Lille.

In the office in Paris: Sandra recounts her day in Lille.

Bernard
Alors, comment s'est passé votre séjour à Lille? Vous n'avez pas eu trop de problèmes avec le TGV?

How did your visit to Lille ,go? Was it not very uncomforta, e on the TGV?

Sandra

Non, pas du tout, mon voyage en TGV
a été très agréable. J'ai fait la connaissance d'une jeune Lyonnaise qui fait
des études de médecine. Nous avons
pu comparer le système des études en
France et en Allemagne.

No, not at all, my trip on the TGV
was very pleasant. I met a young woman
from Lyon, who studies medicine. We were
able to compare the university systems in
in France and Germany with one another.

Bernard

Et vous êtes arrivée à l'heure à vos
rendez-vous? Avant-hier et hier il
y a eu des grèves et des
manifestations dans toute la France!

And did you arrive at your appointment
punctually? Yesterday and the day
before there were strikes and
demonstrations throughout France!

Sandra

Vraiment? Je n'ai rien remarqué!
Le train est arrivé ponctuellement,
j'ai eu le temps d'aller à l'hôtel où
j'ai déposé mes bagages. Ensuite
j'ai pris un taxi et je suis allée
directement à la société Legrand.
J'y ai rencontré M. Dominart.

Really? I didn't notice anything!
The train arrived on time, and I had
enough time to go to the hotel, where I
left my luggage. Then I took a taxi and
went straight to the Legrand company. I
met Monsieur Dominait there.

Bernard

Vous avez vu leurs nouveaux instruments?

Did you see their new machines?

Sandra

Oui, M. Dominart m'a aussi montré
leur nouveau centre de recherche.
J'ai trouvé la visite très intéressante.

Yes, Monsieur Dominart showed me their
new research centre. I found the
tour very interesting.

Bernard

Vous avez déjeuné avec
M. Dominart?

Did you have lunch with Monsieur
Dominart?

Sandra

Oui, nous avons mangé une salade
dans une brasserie, pas loin de la
société. Et après j'ai dû partir pour
mon rendez-vous avec M. Philippin.

Yes, we had a salad in a bistro not too
far from the company. And
afterwards I went to my appointment.
with Monsieur Philippin.

Bernard

Vous avez pris le métro?

Did you go on the Metro?

Sandra

Non, je suis partie en voiture avec
M. Dominart. C'est vrai que nous
avons mis plus d'une demi-heure
pour faire deux kilomètres!

No, I went with Monsieur Dominart in the.
car. And we really took more than
half an hour for two kilometres!

Bernard
Et comment s'est passée votre
visite à la société Médèque?

And how was your visit at
Médèque?

Sandra
Nous avons discuté pendant deux
heures de notre projet européen,
mais nous n'avons pas eu le temps
d'examiner tous les problèmes.

We spoke for two hours about our
European project, but we didn't have
enough time to talk about all the
problems.

Sandra
M. Philippin a quitté la réunion vers
quatre heures et je suis restée avec
ses deux collègues, M. Petit et Mme
Thibaut. Nous nous sommes très bien
entendus. Nous avons continué la
discussion jusqu'à sept heures du soir et
ensuite nous sommes allés dîner
dans un petit restaurant.

Monsieur Philippin left the group at about
four o'clock and I was left with is two
colleagues, Monsieur Petit and
Madame Thibaut. We got on very well
together. We continued the discussion
until seven o'clock, and we finally had
dinner in a small restaurant.

Bernard
Et vous avez prolongé la discussion?

Did you continue the discussion here?

Sandra
Oui et non, M. Petit a réussi à avoir
des billets pour l'orchestre de Lille.

Yes and no, Monsieur Petit was
able to get tickets for the Lille Orchestra.

Bernard
Cela vous a plu?

Did you like it?

Sandra
Oui, beaucoup. Vous avez déjà été
à l'opéra de Lille?

Oh, yes, very much. Have you been to
the Lille Opera before?

Bernard
Non, je n'ai pas encore eu cette chance.
Vous êtes rentrée ce matin en TGV?

No I haven't had the pleasure yet. Did
you come back on the TGV this morning?

Sandra
Oui, je me suis levée à six heures
et quart, j'ai pris un taxi jusqu'à la
gare et me voilà, un peu fatiguée
et enrhumée ...

Yes, I got up at six in the morning
took a taxi to the railway station, and
here I am now, a bit tired and 'th a
cold.

Bernard
Je vous donne un café bien fort car
la prochaine réunion commence
dans dix minutes, courage!

I'll get you a strong coffee,
since the next meeting takes place in
ten minutes. Chin up!

EXERCICES

Instructions: You will hear a question or a request which you should answer after the tone in the pause.
You will then hear the correct answer.
You can then compare your answer with the correct answer.

There is an example for each exercise.

⊃4 Exercice 1
p 9

Take over the role of Bernard.
Sandra discusses her trip to Lille with him. Confirm everything that Sandra tells you.

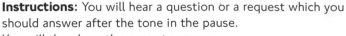

E Example:
_____

Voix: *J'ai fait le voyage en deux heures.*

Vous: *Vous avez fait le voyage en deux heures!*

Voix: *Vous avez fait le voyage en deux heures!*

Vous: *Vous avez fait le voyage en deux heures!*

o 1.
o 2.
o 3.

 A vous — and now you:

1. J'ai fait le voyage en   It took 2 hours for the journey.
   deux heures.
   Vous avez fait le voyage en
   deux heures!

2. Je suis arrivée à l'heure.   I arrived punctually.
   Vous êtes arrivée à l'heure!

3. J'ai rencontré Monsieur Dominart   I met Monsieur Dominart
   et nous avons déjeuné ensemble   and we had lunch together.
   Vous avez rencontré M. Dominart
   et vous avez déjeuné ensemble!

4. Nous sommes allés au centre de recherches.
   Vous êtes allés au centre de recherches!

   We went to the research centre together.

5. Ma visite chez Médèque s'est bien passée.
   Votre visite chez Médèque s'est bien passée!

   My visit to Médèque went well.

6. M. Charlet a pu avoir des billets pour le ballet.
   Il a pu avoir des billets pour le ballet!

   Monsieur Charlet had tickets for the ballet.

7. Ça m'a plu.
   Ça vous a plu!

   I enjoyed that.

CD4 **Exercice 2**
TOP 10

Take over the role of Sandra and answer the following questions. Use the pronouns wherever possible.

 Example:

Voix: ***Combien de jours êtes-vous restée à Lyon?***

Vous: ***J'y suis restée un jour à Lyon.***

Voix: ***J'y suis restée un jour à Lyon.***

Vous: ***J'y suis restée un jour à Lyon.***

 A vous — and now you:

1. Combien de jours êtes-vous restée à Lyon?
   Je suis restée un jour à Lyon.

   How many days did you stay in Lyon?

2. Comment êtes-vous allée à la société Legrand, en taxi?
J'y suis allée en taxi.

How did you travel to Legrand, Did you take a taxi?

3 Avez-vous déjeuné avec Monsieur Dominart?
Oui, j'ai déjeuné avec lui.

Did you have lunch with Monsieur Dominart?

4. A quelle heure est-ce que M. Philippin est parti pour Bordeaux?
Il est parti vers quatre heures.

At what time did Monsieur Philippin set off to Bordeaux?

5. Etes-vous sortie hier soir?
Oui, je suis sortie hier soir.

Did you go out last night?

6. Quel spectacle êtes-vous allée voir?
Je suis allée voir un ballet.

What did you see?

7. Quand êtes-vous rentrée à Paris?
Je suis rentrée ce matin.

When did you get back to Paris?

D4 Exercice 3

11

Answer the following questions in the negative.

 Example:

Voix: *Sandra s'est levée tard pour partir à Lyon?*

Vous: *Non, elle ne s'est pas levée tard pour partir à Lyon.*

Voix: *Non, elle ne s'est pas levée tard pour partir à Lyon.*

Vous: *Non, elle ne s'est pas levée tard pour partir à' Lyon.*

A vous — and now you:

1. Sandra s'est levée tard pour   Did Sandra get up too late to travel
   partir à Lyon?   to Lyon?
   Non, elle ne s'est pas levée tard pour partir à Lyon.

2. Dans le TGV, Sandra a fait la   Did Sandra meet an economics
   connaissance d'un étudiant   student in the TGV?
   en économie?
   *Non, elle n'a pas fait la connaissance
   d'un étudiant en économie.*

3. Sandra a pris le métro à Lyon?   Did Sandra use the Métro in Lyon?
   Non, elle n'a pas pris le métro.

4. Sandra et ses collègues sont   Did Sandra and his colleagues go
   allés dans un restaurant italien?   for dinner in an Italian restaurant?
   *Non, ils ne sont pas allés dans
   un restaurant italien.*

5. Sandra s'est ennuyée a Lyon?   Was Sandra bored in Lyon?
   *Non, elle ne s'est pas
   ennuyée à Lyon.*

6. Sandra est tout de suite rentrée   Did Sandra return to the hotel
   à l'hôtel après le dîner?   immediately after dinner?
   *Non, elle n'est pas tout de suite
   rentrée à l'hôtel.*

7. Sandra s'est couchée très tôt?   Did Sandra go to bed very early?
   *Non, elle ne s'est pas
   couchée très tôt.*

GRAMMAIRE

The Perfect Tense with "être"

In Lesson 14 we have already learned the perfect tense with **"avoir"**. There are several verbs which are formed with the auxiliary verb **"être"** in the **passé composé**. They are mostly verbs which are conjugated with "have" in English. Exceptions: j'**ai** été - I have been - and all reflexive verbs: je **me suis** habillé(e) - I have dressed myself.

Marc **est** allé à Paris.
Marc has to Paris.
Michel **est** arrivé.
Michel has arrived.

In the perfect tense with **"être"**; the participle is formed according to the number and gender of the subject:

elle **est allée**	he has gone
il **est allé**	she has gone
nous **sommes allés**	we are gone
nous **sommes allées**	we are gone
elle **est venue**	she has arrived
elles **sont venues**	they have arrived

FRANCE PRATIQUE

Here are a few expressions for helping to express an opinion:
- selon moi / à mon avis / d'après moi (in my opinion)
- vous avez aimé? (did you like that?)
- ça vous a plu? (did you like that?)
- comment avez -vous trouvé ...? (how did you like it?)
- qu'est-ce que vous pensez de ...? (what do you think about...?)

POSITIF	NEGATIF
j'ai beaucoup aimé	j'ai détesté
(I liked it very much)	(I found it terrible)
j'ai adoré	je n'ai pas beaucoup aimé
j'ai trouvé intéressant	j'ai trouvé ... ennuyant (boring)
	passionnant
ça m'a plu/intéressé	ça ne m'a pas plu / intéressé

EXERCICE ÉCRIT

Remettez les questions et réponses dans le bon ordre et conjuguez les verbes au passé.
Put the questions and answers into the right order and
conjugate the verbs correctly
Begin with: "Monsieur Leinart, vous ... êtes resté... (rester) une semaine avec vôtre femme à Paris?"

2.   Vous _____ (avoir) le temps de visiter Paris?

3.   Qu'est-ce qu'elle_____ (faire) le 1er jour?

4.   Le soir, vous _____ (ne pas sortir) avec votre femme?

5.   Quand est-ce que vous _____ (reprendre l'avion) en Allemagne?

6.   Le spectacle vous _____ (plaire)?

7.   Est-ce que vous _____ (devoir) travailler tous les jours.

8.   Le 3ème, elle _____ (faire) des courses?

9.   Votre femme _____ (ne pas s'ennuyer)?

10. Et le 2ème, elle _____ (visiter) des musées?

11. En un mot, vous _____ (aimer) votre séjour à Paris?

a) Oui, je _____ (travailler) tous les jours avec mes collègues français.

b) C'est ça; elle _____ (passer) toute la journée dans les magasins et (acheter) des cadeaux pour toute la famille.

c) Non, ma conférence _____ (durer) 4 jours.

d) Le 1 er jour, elle _____ (se promener) sur les Champs-Elysées et après elle _____ (faire) un tour en bateau-mouche; elle _____ (avoir) de la chance; il _____ faire très beau.

e) Non, cela _____ (ne pas être) possible; je _____ (rester) dans les bureaux de la société du matin au soir.

f) Oui, elle _____ (aller) au Louvre, elle _____ (entrer) dans la cathédrale Notre-Dame et elle _____ (monter) à la Tour Eiffel.

g) Oui, nous _____ (aimer) le spectacle, mais nous _____ (se coucher) tard et ce matin nous _____ (devons) nous lever tôt.

h) Nous _____ (rentrer) ce matin avec le premier avion.

i) Oh, ma femme _____ (rentrer) enchantée de son séjour; moi, je _____ (rentrer) fatigué!

j) Non, elle _____ (ne pas s'ennuyer); tous les jours elle (avoir) un programme.

k) Oui, hier soir nous _____ (sortir). Nous _____ (avoir) des places pour le Lido.

225

**LEÇON 16
A vos souhaits!**

CD4 In this lesson you will learn how to describe an illness.

TOP 13

Learn the following expressions:

A vos souhaits!	Bless you!
Vous n'avez pas bonne mine.	You don't look too well!
Je ne me sens pas bien.	I don't feel very well
J'ai mal à la gorge.	I have a sore throat.
J'ai mal au ventre.	I have a stomach ache.
Vous êtes pâle!	You're very pale!
J'ai mal au coeur.	I feel ill/sick.
Je tousse.	I have a cough.
J'ai mal aux dents.	I have toothache.
J'ai un plombage qui a sauté.	I have lost a filling.
Je vais vous osculter.	I'll examine you..
Veuillez enlever vôtre veste.	Please take off your jacket.
Vous avez une bonne grippe.	You have the flu pretty badly
Voici votre ordonnance et votre feuille de soins.	Here's your prescription and the bill.

4 Dialogue
4

Contents:

Sandra feels very unwell in the office. She appears to have a cold. First she goes
to the chemist's and gets some medicine for flu and some aspirins. When that
doesn't work, Sophie suggests the doctor and rings to make an appointment.
Sandra has to go to the surgery immediately since there are no other appoint.
ments free. She describes her symptoms and the doctor prescribes the proper
medicine.

La maladie

Narrateur
A dix heures et demie du matin, la
réunion avec les Italiens est terminée.

'The meeting with the Italians is over
at 10.30 in the morning.

Sophie
A vos souhaits! Dites donc, Sandra, vous
n'avez pas bonne mine! Ça ne va pas?

Bless you! Really, Sandra, you really
don't look well. Aren't you well?

Sandra
Non, j'ai pris froid hier à Lille. J'ai mal
dormi la nuit dernière. Depuis ce matin
j'ai mal à la gorge, j'ai des courbatures
et j'ai un peu mal à l'estomac
Peut-être que j'ai bu trop
de café!

No, I caught a cold yesterday in Lille.
I didn't sleep very well last night
Since this morning I've had a sore
throat, my joints ache and I have a
bit of a stomach ache. Perhaps
I have drunk too much coffee!

Sophie
Vous ne devez pas rester comme
ça; j'espère que vous n'allez pas
avoir la grippe! Il y a une pharmacie
au bout de la rue. Allez-y!

You shouldn't stay like that. I hope.
that you haven't caught the flu!
There's a chemist's at the end of the
street. Go there!

Narrateur
A la pharmacie.

In the chemist's

Pharmacien
Bonjour, madame.

Good morning.

Sandra
Bonjour, j'ai très mal à la gorge et
je ne me sens pas bien. Qu'est-ce
que je peux prendre?

Good morning. I have a very sore
throat and I don't feel very well. What
can I take for this?

Pharmacien

Vous toussez. Alors je vais vous donner du sirop contre la toux. Il est un peu amer mais efficace et aussi une boîte de pastilles à sucer. Vous voulez une petite ou une grande boîte?

You are coughing. Well, I can give you some cough linctus. It tastes a bit bitter., but it works and a packet of throat pastilles. Would you like a large or a small packet?,

Sandra

Une grande boîte, s'il vous plaît, et puis aussi des cachets contre le mal de tête.

A large packet please, and some pills for my headache.

Pharmacien

Voilà de l'aspirine.

Here are some aspirins.

Sandra

Je peux en prendre combien?

How many can I take?

Pharmacien

Les indications sont sur la boîte. Mais si ça continue, allez voir un médecin.

The instructions are on the packet. But go to the doctor's if it continues.

Sandra

Je vous dois combien?

How much does it cost?

Pharmacien

Le flacon de sirop, la boîte de pastilles et celle d'aspirines, ça fait 13 euros!

The cough linctus, the packet of tablets and the aspirin, that comes to 13 euros!

Narrateur

Vers 11 heures et demie du matin.

At about 11.30 in the morning.

Sophie

Ça ne va pas mieux, Sandra? Vous êtes pâle!

Aren't you any better, Sandra? You look very pale!

Sandra

Je crois que je dois aller chez le médecin. Il y en a un près d'ici?

I'll think I'll have to go to the doctor's. Is there one near here?

Sophie

Oui, à deux minutes à pied. Mais il vaut mieux d'abord téléphoner. Le cabinet ferme certainement à l'heure du déjeuner! J'ai son numéro de téléphone sur moi. Attendez, le voilà: c'est le 01. 21. 64. 88. 56. Après je vais passer un coup de fil chez mon dentiste. J'ai mal aux dents. Je pense que j'ai un plombage qui a sauté.

Yes, just two minutes' walk from here, but it's better to ring first. The surgery is closed over lunch time. I have the telephone number on me. Wait a moment, it's: 01. 21. 64. 88. 56. I'll ring my dentist after that. I have a toothache. I think that a filling has fallen out.

Secretaire
Allô, cabinet du docteur Notima, bonjour!

Hello, Doctor Notima's surgery, good morning.

Sandra

Bonjour, madame. Est-ce que je Pourrais avoir un rendez-vous dans une heure? Je ne me sens pas bien du tout. Je crois que j'ai la grippe.

Good morning. Could I have an appointment in an hour, please? I don't feel well at all. I think I have the flu.

Secretaire
A partir de ce midi, ce n'est pas possible, le docteur fait ses visites. Attendez je regarde pour cet après-midi ... a 17h00, ça vous convient ?

it's not possible after 12 o'clock because the doctor has house visits Wait a moment, I'll look at this afternoon ... At 5 o'clock, is that OK?

Sandra
17h00 ... je ne peux vraiment pas avoir un rendez-vous avant?

5 o'clock... Can't I really get an earlier appointment?

Secretaire
C'est diffficile ... ou alors vous pouvez passer maintenant au cabinet?

That's difficult... or could you come straight to the surgery?

Sandra
Tout de suite'?

Immediately?

Secretaire
Oui, tout de suite. Après le Docteur Notima va partir!

Yes, immediately. The doctor's gone straight after!

Sandra
D'accord, j'arrive dans cinq minutes.

Okay, I'll be there in five minutes.

Narrateur
Dans le cabinet médical.

In the doctor's surgery.

Docteur Notima
Bonjour, madame.
Qu'est-ce qui ne va pas?

Good morning
What's the matter?

Sandra
Depuis hier, je tousse. Ce matin j'ai pris du sirop et des pastilles mais ça ne va pas mieux. Je ne peux plus rien avaler, même pas un café! Et j'ai un peu mal au coeur.

I have a cough since yesterday. I've taken some linctus and some pills, but I don't feel any better. I can't swallow anymore, not even a coffee! And I feel a bit sick.

Docteur
Vous avez de la fièvre?

Do you have a temperature?

Sandra
Je n'ai pas pris ma température,
mais je crois que oui.

I haven't taken it, but I think so.

Docteur
Nous allons voir ça. Ouvrez la bouche.
Oh, tout est bien rouge et votre langue
est chargée. Je vais vous ausculter:
veuillez enlever votre pull-over s'il vous
plait. Maintenant respirez bien fort.
Ah oui, les bronches sont prises. Vous
pouvez remettre votre pull. Excusez-moi,
relevez votre manche, je vais prendre
votre tension ... elle est un peu faible.
Eh bien, vous avez une bonne grippe,
madame, avec une légère infection des
bronches. Il faut faire attention. Je vais
vous prescrire des antibiotiques. Vous
n'avez pas d'allergie, non?

We'll have a look. Open your mou
Oh, it's all fairly red and your tongue
is coated. I'll listen to your chest:
Would you please remove your
sweater. Now breathe deeply. Ah, yes,
the bronchi are affected. You can put
your sweater back on. Excuse me, roll
your sleeve up, I'll measure your blood
pressure ... It's a bit low.
Well, well, Madame, you've caught yourself,
a dose of the flu, with a light bronchi
infection. You'll have to be careful. I'll
prescribe some antibiotics. You don't
have an allergy, do you?

Sandra
Jusqu'à maintenant non.

Not up to now!

Docteur
Prenez les antibiotiques trois fois
par jour avant chaque repas et cela
pendant huit jours. N'arrêtez
surtout pas de les prendre même
si vous vous sentez mieux.

Take the antibiotics three times a day
before meals for eight days running
Do not interrupt the course for any
reason, even if you feel better.

Sandra
Et le sirop? Je suis passée chez le
pharmacien ce matin et j'en ai
acheté un flacon.

And the cough linctus? I went to the
chemist's this morning and bought a
bottle of it.

Docteur
Continuez à le prendre, il va vous
faire du bien. Si la fièvre ne baisse
pas, revenez me voir. N'hésitez pas.

Continue taking it, it will do you
good. If the fever doesn't subside,
come and see me. Don't hesitate.

Sandra
Je vous dois combien?

How much does that cost?

Docteur
18 €. N'oubliez pas votre
ordonnance et la feuille de soins
pour votre assurance.

18 euros. Don't forget your prescription
and the bill for your insurance.

Sandra
Ah, c'est vrai, j'ai dans mon
portefeuille le feuillet pour mon
assurance en Angleterre!

Ah, right. I have a form for my insurance
in England in my briefcase!

EXERCICES

Instruction: You will hear a question or a request which you should
answer after the tone in the pause.
You will then hear the correct answer.
You can then compare your answer with the correct answer. There is
an example for each exercise.

04 Exercice 1
15

Explain that you are in pain.

E **Example:**

Voix: ***Vous voulez quelque chose contre le mal de tête?***

Vous: ***Oui, j'ai mal à la tête.***

Voix: ***Oui, j'ai mal à la tête.***

Vous: ***Oui, j'ai mal à la tête.***

 A vous — and now you:

1. Vous voulez quelque chose contre
   le mal de tête?
   Oui, j'ai mal à la tête.

   Would you like something
   for headaches?

2. Vous voulez quelque chose contre
   le mal d'estomac?
   Oui, j'ai mal à l'estomac.

   Would you like something
   for stomach ache?

3. Vous voulez quelque chose contre
   la toux?
   Oui, j'ai mal à la gorge.

   Would you like something
   for a cough?

4. Vous voulez quelque chose contre
   le mal de dents?
   Oui, j'ai mal aux dents.

Would you like something
for toothache?

5. Vous voulez quelque chose contre
   le mal de ventre?
   Oui, j'ai mal au ventre.

Would you like something
for stomach ache?

6. Vous voulez quelque chose contre
   les courbatures?
   Oui, j'ai mal au dos.

Would you like something
for muscle ache?

CD4 Exercice 2
TOP 16

Answer the following questions about the text:

 Example:

Voix: **Sandra a bonne mine?**

Vous: **Non, elle a mauvaise mine.**

Voix: **Non, elle a mauvaise mine.**

Vous: **Non, elle a mauvaise mine.**

 A vous - and now you:

1. Sandra a bonne mine?
   Non, elle a mauvaise mine.

   Does Sandra look well?

2. Sandra va bien?
   Non, elle va mal.

   Does Sandra feel well?

3. Sandra a bien dormi?
   Non, elle a mal dormi.

   Did Sandra sleep well?

4. Sandra a passé une bonne nuit?
   Non, elle a passé une mauvaise nuit.

   Did Sandra have a good night?

5. Quand on est malade, il vaut mieux
   rester au lit ou aller travailler?
   Il vaut mieux rester au lit.

   When you are ill, is it better
   to stay in bed or go to work?

6. Quand on est malade, il vaut mieux
   boire un thé ou un martini?
   Il vaut mieux boire un thé.

   When you are ill, is it better
   to drink tea or a Martini?

7. Quand on prend les bons
   médicaments, on se sent mieux
   ou plus mal?
   On se sent mieux.

Do you feel better or worse
after you have taken some
medicine?

04 Exercice 3
17

Someone suggests that you do something. Reply that you have already done it.

 Example:

Voix: **Allez chez le pharmacien!**

Vous: **Je suis déjà allé(e) chez le pharmacien.**

Voix: **Je suis déjà allée) chez le pharmacien.**

Vous: **Je suis déjà allée) chez le pharmacien.**

 A vous — and now you:

1. Allez chez le pharmacien!
   Je suis déjà allé(e) chez le pharmacien.

   Go to the chemist's!

2. Achetez du sirop!
   J'ai déjà acheté du sirop.

   Buy some cough linctus!

3. Buvez un thé bien chaud!
   J'ai déjà bu un thé bien chaud.

   Drink a hot tea!

4. Prenez votre température!
   J'ai déjà pris ma température.

   Take your temperature!

5. Dormez!
   J'ai déjà dormi.

   Go to sleep!

6. Passez chez le médecin!
   Je suis déjà passé(e) chez le médecin.

   Go to the doctor's!

7. Restez à la maison!
   Je suis déjà resté(e) à la maison.

   Stay at home

GRAMMAIRE

The Adverb – l'adverbe

An adverb can describe a verb, an adjective or another adverb or qualify a whole sentence.

Sandra travaille **bien**.   Sandra works well.
"bien" qualifies *"travaille"*

Ce garçon est **très** beau.   This boy is very handsome.
"très" qualifies *"beau"*

Elle ne va pas **<u>très</u> bien**.   She doesn't feel very well.
"très" qualifies *"bien"*

Demain, je ne travaille pas.   I don't work tomorrow.
"demain" qualifies the whole sentence.

During the past 15 lessons you have read a variety of adverbs, such as for example:

J'ai **encore** une question à poser.
I Still have a question to ask.

Le voyage dure une heure **environ**.
The journey takes about an hour.

Je vais **toujours** au travail à pied.
I always walk to work.

Normalement, je ne travaille pas le samedi.
Normally I don't work on Saturdays.

Forming Adverbs

In French the adjective and adverb do not always have the same form. Some adverbs are derived from adjectives. They are therefore called derivative adverbs. A derivative adverb is formed by using the feminine form of the adjective and adding the ending *-ment.*

masculine	feminine	adverb
certain	certaine	certainmemt
clair	claire	clairement
sérieux	sérieuse	sérieusement
normal	normale	normalement
lent	lente	lentement
pratique	pratique	pratiquement
complet	complète	complètement
facile	facile	facilement

The adjectives *"facile"* and *"pratique"* have the same form in the masculine and feminine.

Exceptions

Adjective	Adverb
bon	bien
mauvais	mal

Where adjectives end with a stressed consonant, the adverb is derived from th masculine form:

Adjective masculine	Adverb
vrai	**vraiment**
poli	**poliment**
joli	**joliment**

Exceptions: adjectives ending in –ent or –ant have a special adverb form:

Adjective masculine	Adverb
prudent	**prudemment**
constant	**constamment**

Attention: The adverb remains, in comparison to the adjective, unaltered!

The Position of Adverbs

When an adverb qualifies a whole sentence, it is usually at the start of the sentence:

Normalement, je travaille à la maison; **aujourd'hui**, je travaille au bureau.
Normally I work at home, today I am working in the office.

When an adverb (e.g. adverbs of indefinite time and quantity) qualifies a verb, it always follows the verb:

Sandra téléphone **souvent** à ses enfants en Allemagne.
Sandra often rings up his children in Germany.

Je travaille **beaucoup** pendant la semaine; le week-end, je me repose.
I work a lot during the week, at the weekend I relax.

In the perfect tense the adverb comes between the auxiliary and the participle:

J'ai **beaucoup** travaillé.
I have worked hard.

Nous avons **souvent** téléphoné à nos amis.
We have often rung our friends.

FRANCE PRATIQUE

The chemists *"les pharmacies"* are easily recognizable by the green crosses. The chemist, *"le pharmacien/la pharmacienne"*, can help with slight problems. In more serious cases, it is better to go to the doctor, *"docteur/médecin"*.
Do not forget that the doctor is paid immediately, so always have money ready: it costs about 18 - 20 euros per *"consultation"*. In France, the doctors come: to you when you are seriously ill and when a trip would be too much. That is why by the receptionist may say: *"le docteur est en visite, fait ses visites"*. The doctor gives a prescription, *"une ordonnance"* and a bill *"une feuille maladie"*, (which the patient has to give to the Sécurité sociale for a refund) This bill can also be given to the NHS. Do not forget to take the appropriate form with, you when travelling to France!

EXERCICE ÉCRIT

Bernard tells Sandra that he is also feeling ill.
Conjugate the verbs in the present or passé composé!

1 Il y a trois semaines, je _____ (attraper) un rhume, je _____
   (prendre) des cachets et je _____ (pouvoir) aller travailler.

2. Mais il y a deux jours, je _____ (devoir) emmener des clients au
   restaurant: Nous _____ (manger) et (boire) pendant trois heures et
   après nous _____ (faire) un tour sur les Champs-Elysées.

3 Je _____ (prendre) froid , je _____ (mal dormir et
   je _____ (se réveiller) avec un mal de tête terrible.
   Je _____ (ne rien pouvoir) avaler.

4. Hier matin je _____ (aller) chez le médecin; il me _____
   (ausculter) et _____ (prescrire) des médicaments.

5. Je _____ (passer) chez le pharmacien pour acheter les
   médicaments et je _____ (rentrer) à la maison.

6. Depuis, je _____ (être) au lit, je _____ (prendra)
   des antibiotiques et je _____ (boire) du thé. Je _____ (être)
   en congé maladie jusqu'à jeudi.

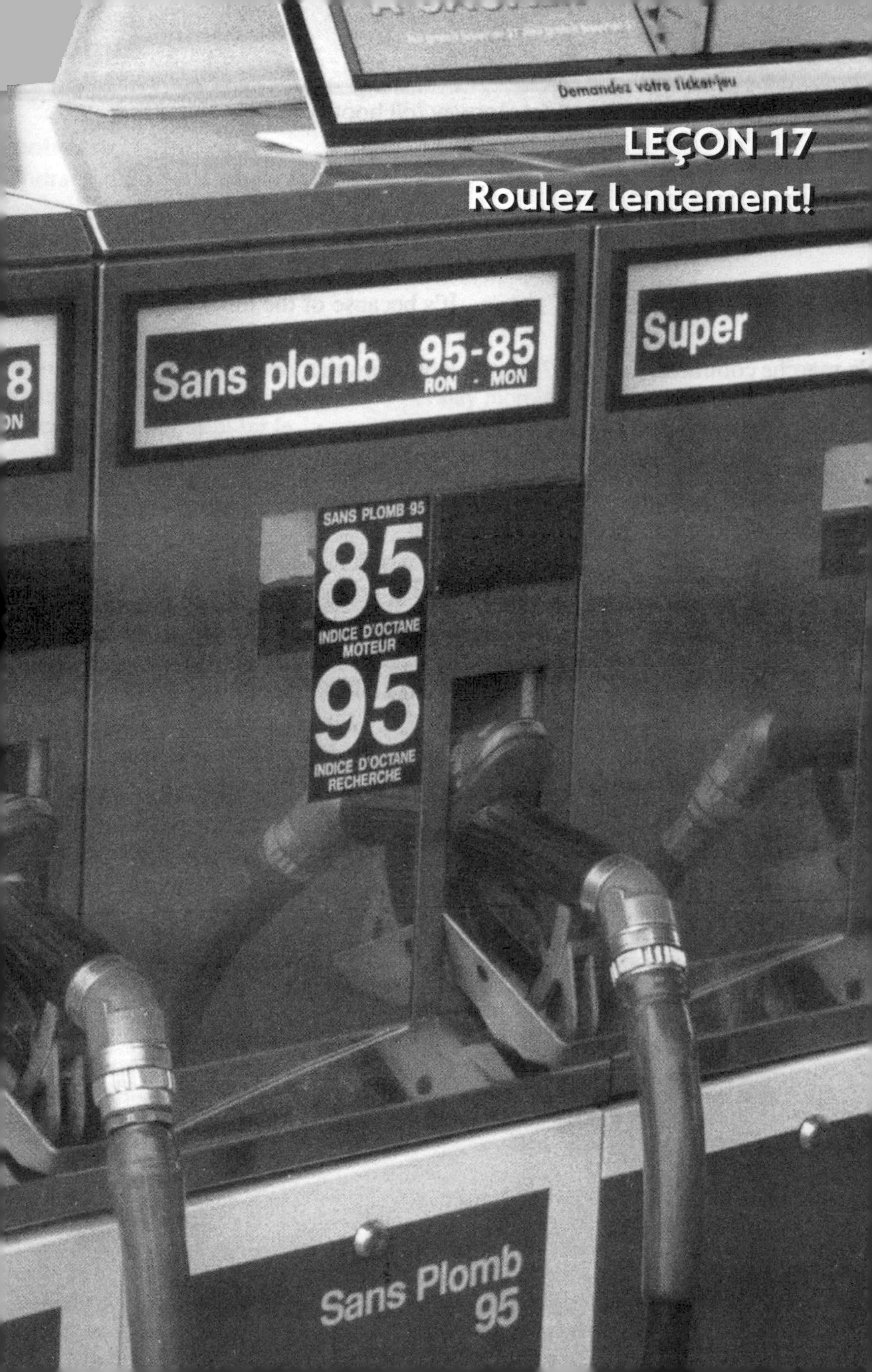

LEÇON 17

Roulez lentement!

CD4
OP 19

In this lesson you will learn:

- what to do at the "péage" (motorway toll booth);
- what to say when filling the car at the garage

Learn the following expressions:

C'est à cause du péage.	It's because of the toll.
Ça marche comment, le péage?	How does that operate with the toll?
Il faut avoir de l'argent sur soi.	You have to have money with you
Vous me faites le plein.	Fill her up please.
Ça vaut la peine.	Its worth it.
Roulez lentement!	Drive slowly!
Je vérifie l'huile?	Shall I check the oil?
Vous pouvez nettoyer le pare-brise?	Could you clean the windscreen?
Vous pouvez vérifier la pression des pneus?	Could you check the tyre pressure?

CD4 Dialogue
P 20

Contents:

Sandra and Bernard are driving out of Paris heading west. Bernard introduces Sandra to the French toll system "péage" and fills up at a motorway service station.

Dans la voiture

Narrateur

Vendredi matin. Bernard et Sandra quittent Paris, ils roulent sur le périphérique.

Friday morning. Bernard and Sandra leave Paris, they are driving along a bypass.

Bernard

Vous allez mieux?

Are you feeling better?

Sandra

Oui, je vais mieux. Grâce aux médicaments, j'ai vraiment bien dormi la nuit dernière. Tiens, pourquoi est-ce que toutes les voitures ralentissent? Il y a un embouteillage?

Yes, I'm feeling better. I slept well last night thanks to the tablets. Oh, why are all the cars driving so slowly? Is there a traffic jam?

Bernard

Non, non, c'est à cause du péage. Vous savez, en France beaucoup d'autoroutes sont payantes. Ce n'est pas comme en Allemagne!

No, no, it's because of the motorway toll. You know that many motorways in France have tolls. It's not like in Germany.

Sandra

Et ça marche comment?

And how does it function?

Bernard

C'est un système simple: Vous voyez, ici c'est l'entrée. Je vais prendre mon ticket au distributeur et la barrière va immédiatement se lever.

It's a simple system: Look, here is the entrance. I take a ticket from the machine, and the barrier goes up right away.

Sandra

Et le ticket, qu'est-ce que vous en faites?

And what do you do with the ticket?

Bernard

A la sortie pour Rouen, je vais le présenter au guichet pour payer

I will hand it in at the booth at the exit in Rouen and pay.

Sandra

Il faut toujours avoir de l'argent
sur soi, alors!

So you always have to have money
on you!

Bernard

Non, ce n'est pas nécessaire. Vous
allez voir, il y a une voie pour payer
par carte. Moi, je n'ai jamais
d'argent sur moi; je prends toujours
la voie télépéage: j'ai un abonnement.

No, that's not necessary. There's a lane
for paying by credit card. I never have
any money with me, I always take the
lane with the motorway card. I have a
subscription.

Sandra

Regardez, Bernard, il y a un voyant
lumineux rouge sur votre tableau de
bord. Qu'est-ce que cela veut dire?

Look, Bernard, there's a red light blinking
on your dashboard.
What does that mean?

Bernard

Ah, zut, j'ai complètement oublié
de faire le plein avant de partir. Le
réservoir est presque vide, je vais
m'arrêter à la prochaine station-
service. C'est à 500 mètres,
heureusement!

Oh, damn, I completely forgot to fill
up before we left.
The tank is nearly empty, I'll stop
at the next service station. Luckily
there's one in the next in 500 metres.

Narrateur

A la station-service.

At the service station.

Sandra

Dites-donc, l'essence est chère
en France!

And that too, petrol is very expensive
in France.

Bernard

Elle est toujours plus chère sur
l'autoroute; j'y fais rarement
le plein. Normalement, je prends de
l'essence quand je passe devant
un hypermarché.
Ça vaut la peine mais maintenant
je n'ai pas le choix! Si vous voulez,
vous pouvez aller prendre un café,
il y a un distributeur automatique
à l'intérieur du magasin.

It's always more expensive on the
motorway, so I seldom fill the whole tank.
Normally I tank at a large supermarket
when I pass by one. It's cheaper, but now
I don't have a choice! If you want you can
go and have a coffee, there's a machine
inside the shop.

Sandra

Non, je n'ai pas soif mais je vais
aller aux toilettes.

No I'm not thirsty, but I will go to the
toilet.

Pompiste/Garage attendant
Monsieur, vous prenez du super
ou du sans plomb?

Do you take four star
or unleaded?

Bernard
Du sans plomb 95. Vous me faites
le plein, s'il vous plaît!

Unleaded. Fill her up
please!

Pompiste
Voilà, c'est fait! Je vérifie
l'huile?

So, there we are! Shall I check
the oil?

Bernard
Non, ce n'est pas nécessaire, j'en
ai mis avant de partir, mais vous
pouvez peut-être nettoyer le
pare-brise: il est sale.

No, that's not necessary, I topped it up
before I left, but you could clean the
the windscreen: it's dirty.

Pompiste
Bien sûr! ... Et la pression des
pneux, je la vérifie? C'est gratuit!

Of course! ... And shall I check
the tyre pressure? That's a free service!

Bernard
Bon, d'accord! J'avance un peu la
voiture et je vais payer à la caisse.

Good, okay! I'll drive the car a bit forward
and go and pay at the counter.

Caissière
C'est quelle pompe?

Which pump?

Bernard
La quatre. Et je prends aussi cette
carte routière.

Number four. And I'll also take this road
atlas.

Caissière
Ça fait 70 €.

That's 70 euros altogether.

Bernard
Voici ma carte. C'est encore
loin, Rouen?

Here's my card. Is Rouen still a long
way from here?

Caissière
Non, c'est la prochaine sortie; jusqu'à
Rouen, il y a encore 40 km. Faites
attention, roulez lentement et prudemment: il y a souvent des contrôles radar.

No, it's the next exit;
that's still 40 km.
Be careful and drive slowly:
radar checks!

Bernard
Merci. Au revoir!

Thanks. Good bye!

EXERCICES

Instructions: You will hear a question or a request which you should answer after the tone in the pause.

You will then hear the correct answer.

You can then compare your answer with the correct answer.

There is an example for each exercise.

CD4 Exercice 1
TOP 21

Try to use the various adverbs found in this lesson.

E Example:

Voix: *Les autoroutes sont en général gratuites en France?*

Vous: *Non, elles sont généralement payantes.*

Voix: *Non, elles sont généralement payantes.*

Vous: *Non, elles sont généralement payantes*

A vous — and now you:

1. Les autoroutes sont en général gratuites en France?
   Non, elles sont généralement payantes.

   Are the motorways in France generally free?

2. Le réservoir est presque vide?
   Non, il est complètement vide.

   Is the tank nearly empty?

3. Bernard fait toujours le plein sur l'autoroute?
   Non, il fait rarement le plein sur l'autoroute.

   Does Bernard always fill-up on the motorway?

4. Malheureusement, la prochaine station-service est à 20 km?
   Non, heureusement elle est à 500 mètres.

   Is the next service station unfortunately 20 km away?

5. Le pompiste contrôle la pression des pneus pour 4€ 50 ?
   Non, il contrôle gratuitement la pression des pneus.

   Does the garage attendant check the tyre pressure for 4€ 50 ?

6. Il y a des contrôles radar, comment faut-il rouler?
   Il faut rouler lentement.

   There are radar checks, how should one drive?

7. Sur les autoroutes, on peut conduire plus lentement que sur les routes nationales?
   Non, on peut conduire plus rapidement.

   Can you drive more slowly on the motorway than on normal roads?

CD4 Exercice 2

OP 22

Please answer the following questions using the superlative:

E Example:

Voix: *Un système simple pour payer sur les autoroutes, c'est un abonnement?*

Vous: *Oui, c'est le système le plus simple!*

Voix: *Oui, c'est le système le plus simple!*

Vous: *Oui, c'est le système le plus simple!*

 A vous — and now you:

1. Un système simple pour payer sur les autoroutes, c'est un abonnement?
   Oui, c'est le système le plus simple!

   Is a subscription a simple system for paying on the motorway?

2. Un endroit pas cher pour faire le plein d'essence, c'est un hypermarché?
   Oui, c'est l'endroit le moins cher.

   Is the supermarket a good place to tank cheaply?

3. Les routes tranquilles pour voir la France, ce sont les routes nationales?
   Oui, ce sont les routes les plus tranquilles.

   The quieter streets, from which to see France, are they the national roads?

4. Les voies rapides pour arriver très vite à un endroit, ce sont les autoroutes?
   Oui, ce sont les voies les plus rapides.

   The main roads to reach one place from another very quickly, is that the motorway?

5. La bonne méthode pour visiter un pays, c'est le bus?
   Oui, c'est la meilleure méthode.

   The best method to see the countryside, is it by bus?

6. Un restaurant économique pour
   manger en France, c'est un routier?
   **Oui, c'est le restaurant le plus
   économique.**

   A good restaurant where you can
   eat quite reasonably, is it a "routier"?

7. Un bon café pour ne pas dormir
   quand on conduit, c'est
   un expresso?
   Oui, c'est le meilleur café.

   A good coffee, so as not to fall
   asleep at the wheel, is it an
   espresso?

D4 Exercice 3

◦ 23

Grâce à (thanks to) / À cause de (because of)

 Example:

Voix: **Grâce à quoi est-ce que
      Sandra a pu bien dormir?**

Vous: **Elle a pu bien dormir
      grâce aux médicaments.**

Voix: **Elle a pu bien dormir
      grâce aux médicaments.**

Vous: **Elle a pu bien dormir
      grâce aux médicaments.**

 A vous - and now you:

1. Grâce à quoi est-ce que Sandra
   a pu bien dormir?
   **Elle a pu bien dormir grâce
   aux médicaments.**

   Thanks to what could Sandra
   sleep well?

2. Pourquoi est-ce que Bernard
   doit ralentir?
   Il doit ralentir à cause du péage.

   Why had Bernard to drive more
   slowly?

3. Grâce à quoi est-ce que Bernard
   peut payer sans argent au péage?
   **Il peut payer sans argent grâce
   à son abonnement.**

   Why can Bernard pay at the toll
   booth without money?

4. Bernard doit s'arrêter à la
   prochaine station-service à cause
   d'un problème de moteur?
   ***Non, il doit s'arrêter à cause
   d'un problème d'essence.***

   Does Bernard have to stop at t le
   next service station because of
   problems with the engine?

5. Grâce à qui est-ce que le
   pare-brise est propre?
   Il est propre grâce au pompiste.

   Thanks to whom is the windscreen
   clean?

6. A cause de quoi est-ce que Bernard
   ne doit pas rouler trop vite?
   ***Il ne doit pas rouler trop vite à
   cause des radars.***

   Why mustn't Bernard drive too
   fast?

7. Grâce à qui est-ce que Bernard
   sait qu'il y a des radars?
   ***Il sait qu'il y a des radars grâce
   à la caissière.***

   Thanks to whom does Bernard know
   that there are radar checks?

GRAMMAIRE

The Comparison and the Superlative of Adverbs

The comparative form of the adverb as formed similarly to the adjective, by setting *"aussi"*, *"plus"* and *"moins"* in front of the adverb. The comparison is formed by the use of ... *"que"*

Sophie fait *aussi* bien du ski *que* Sandra.
Sophie skis just as well as Patrick.

Michel conduit *plus* prudemment *que* Bernard.
Catherine drives more carefully than Sophie.

Ce garçon écrit *moins* lentement *que* cette fille.
This boy writes quicker than this girl

The superlative is formed by placing the definite article *"le"* in front of the comparative:

Il conduit *le* plus prudemment de tous.
He drives the most carefully of them all.

Elle lit *le* plus lentement des quatre.
She reads slowest of the four.

Note these expressions:

Elle va chez sa grand-mère le plus souvent possible.
She goes to her grandmother's as often as possible

Je travaille...		
	le **moins souvent** *possible.*	... as often as possible
	le **plus lentement** *possible.*	... as slowly as possible
	le **moins bien** *possible.*	... as badly as possible

Irregular Comparisons and Superlatives:

bien	mieux	le mieux
good	better	best
bien	moins bien	le moins bien
good	worse	worst

FRANCE PRATIQUE

In France there is more than 50,000 km of motorway, most of it with péage (tolls). Every 10 – 15 km there are *"aires de repos"* (services), where one can fill-up with petrol and have something to eat.

The motorways are shown by the letter *"A"*. The maximum speed limit is 130 km/h (75mph).

There are also main/ A roads, *"routes nationales"*, shown by *RN* or *N* and *"routes départementales"* with RD or D :

On country roads the speed limit is 90 kmh (55 mph), on dual carriageways 110 km/h (70 mph).

At Easter, Whitsun, the tast weekend in June, the first and last weekends i July and August (when the *"juilletistes"* July holidayers and the *"aoûtiens"* August holidayers are travelling), the French roads are best avoided at the weekends; also during the long weekends many French are abroad. Times prone to heavy traffic jams are shown as *"circulation orange"* (a lot), *"rouge"* (much) and "noir" (very much). The information maps are available from the AA and RAC, in France at the *"bison futé"* stations, or at the *"syndicats d'initiative"*. In addition lo the main routes, one can use the *"itinéraires bison futé"* or *"itinéraires bis"* which are signposted. Those diversionary routes which are recommended by the French Ministry of Transport are printed on special maps which are available from the above mentioned sources.

The following may appear on traffic signs:

déviation:	diversion
gravillons:	loose gravel
chaussée déformée:	uneven surface
travaux:	roadworks
vous n'avez pas la priorité:	Give way
passage protégé:	Give way at the next crossing
rappel:	repeated signal to reduce speed
chaussée glissante:	slippery roadsurface

EXERCICE ÉCRIT

Put the dialogue into the right order. Begin with:

a) "Bonjour", je voudrais du sans plomb."

1. Un litre, voilà, c'est fait. Vous voulez que je vérifie la pression des pneus, c'est gratuit!

2. Voilà, 40 euros tout rond. C'est tout?

3. 95 ou 98?

4. A cause des embouteillages; aujourd'hui, c'est un vendredi rouge; tous les Parisiens partent pour le long week-end!

5. Je vous fais le plein?

6. Oh, vous avez besoin d'huile, je vous en mets combien?

7. Non, vous avez encore une centaine de kilomètres à faire; mais je vous conseille de prendre la départementale.

8. Là-bas, à la caisse dans le magasin. Bon voyage!

9. C'est simple. A la prochaine sortie, quittez l'autoroute. Le premier panneau à gauche, c'est le bon; c'est indiqué.

b) Ah bon, pourquoi la départementale?

c) 95 s'il vous plaît!

d) Je vous remercie beaucoup; je paie où?

e) Et quelle est la meilleure route pour retrouver la départementale?

f) D'accord! Contrôlez le pneu avant gauche, c'est nécessaire!

g) Non, seulement pour 40 euros. Vous pouvez vérifier l'huile, s'il vous plaît!

h) Un litre.

i) Oui, c'est tout. Nous voulons aller à Reims, c'est encore loin?

Solution: a/3–c/5–g/6–h/1–f/2–i/7–b/4–e/9–d/8

CD4 **In this lesson you will learn:**
TOP 25

- what to do when invited by someone;
- how to talk about holiday plans;
- how to talk about the weather

Learn the following expressions:

C'est pour vous.	That's for you.
Oh, il ne fallait vraiment pas!	That wasn't necessary!
Vous avez fait des folies!	That must have cost a fortune!
Tu sers l'apéritif?	Are you going to offer us an apéritif?
Quel temps fait-il?	How's the weather?
Il fait chaud.	It's warm.
J'espère qu'il ne pleuvra pas.	I hope it doesn't rain.
Je ne supporte pas la chaleur du Midi.	I can't bear the heat in the south of France.
Vous logerez à l'hôtel ou vous louerez quelque chose?	Are you going to stay in a hotel or are you going to rent a place?
Je dois prendre congé.	I must take my leave.
Je vous accompagne.	I'll go with you.

D4 Dialogue
26

Contents:
Sandra has been invited to Bernard and Pierre's at the end of her stay.
Michel and his wife, their neighbour and friend, are there. As well as the usual
dinner conversation, they talk about their holiday plans and describe what they
will do on holiday.

Chez Bernard

Narrateur
Il est sept heures du soir. Sandra et
Bernard arrivent chez Sophie.

It is seven in the evening. Sandra
and Bernard arrive at Sophie's.

Sophie
Bonjour! Entrez donc!

Good evening! Do come in!

Sandra
Voilà, c'est pour vous.

There you are, that's for you.

Sophie
Comme elles sont belles ces fleurs!
Il ne fallait vraiment pas, Sandra!
Vous avez fait des folies.

How beautiful these flowers are! That
really wasn't necessary, Sandra! They
must have cost a fortune.

Pierre
Donnez-moi votre imperméable,
Sandra, je vais l'accrocher.

Give me your raincoat, Sandra,
I'll hang it up.

Sophie
Allez dans le salon. J'arrive tout de
suite, le temps de mettre les fleurs
dans un vase. Pierre, tu sers
l' apéritif?

Go through to the living room. I'll be ther:
straight away, as soon as I've put these
flowers in a vase. Pierre, will you look
after the apéritif?

Pierre
Qu'est-ce que je vous sers, Sandra:
un whisky, une vodka ou quelque
chose de plus doux comme un porto,
un banyuls?

What can I get you, Sandra:
a whisky, a vodka or something
milder such as a port, or
a Banyuls (dessert wine)?

Sandra
Je vais prendre un banyuls, je n'en
bois jamais en Allemagne!

I'll have a Banyuls, I never drink it
in Germany!

Pierre
Et pour vous, Bernard?

And for you, Bernard?

Bernard
Un whisky, avec des glaçons,
si vous en avez.

A whisky, with ice, if you have
any.

Narrateur
Pendant le dîner.

During dinner.

Bernard
Sandra, quand prendrez-vous vos
vacances cette année? Vous le
savez déjà?

Sandra, when are you going on holiday
this year? Do you know already?

Sandra
Oui, cette année nous partirons
en août. Nous passerons deux
semaines au bord de la mer.

Yes, we're going on holiday in
August. We're spending two weeks
on the coast.

Bernard
Vous irez où?

Where are you going?

Sandra
Nous viendrons en France.

We're going to France.

Pierre
En Normandie, en Bretagne?

To Normandy, to Brittany?

Sandra
Non, nous découvrirons la
côte atlantique.

No, we're going to explore the
Atlantic coast.

Sophie
Vos filles vous accompagneront?

Are your daughters coming too?

Sandra
Non, elles sont trop grandes.
Notre fille aînée passera ses
vacances en Grèce et Anne sera
en Angleterre.

No, they're too old for that.
Our eldest daughter is going on holiday
to Greece, and Anne is going to
England.

Bernard
Vous ferez le voyage d'une
seule traite?

You're travelling in one go?

Sandra

Non, d'abord nous nous arrêterons
à Aix-La-Chapelle: mon mari
participera un symposium; moi,
je visiterai les environs.
Le lendemain nous rendrons visite
à un collègue de mon mari qui a un
petit appartement à Trouville. Quel
temps fait-il normalement en août?

No, we re stopping first in Aachen.
My husband is taking part in a
symposium there, and I will have a look
at the area. On the next day we will
visit a colleague of my husband's who
has a small flat in Trouville. What is the
weather like in August?

Pierre

En Normandie, il fait toujours beau
il y a du soleil toute l'année!

In Normandy there's always good weather,
it's sunny the whole year!

Sophie

Tu exagères un peu!

You're exaggerating a little!

Sandra

Nous resterons deux jours chez ce
collègue, puis nous irons jusqu'à
Tours où nous passerons la nuit.
Et le lendemain, nous continuerons
jusqu'à Lacanau.

We're staying for tvvo days at this
colleague's, then we're travelling on to
Tours, where we stay the night.
And on the next day we are travelling
on to Lacanau.

Bernard

C'est le paradis pour faire du vélo
et également du surf.

That's a paradise for cycling and for
surfing.

Sandra

Je sais, je sais ... Nous emporterons
nos vélos pour faire des balades et
mon mari prendra naturellement sa
planche. Mais nous ferons aussi
quelques excursions dans la région.
Nous irons à Arcachon pour déguster
des huîtres et nous descendrons
certainement jusqu' à Bordeaux.

I know, I know ... We're taking our
bikes with us to do some tours,
and of course my husband is taking his
surfboard. But we are also planning some
trips in the area. We are going to
Arcachon to eat oysters and we will
definitely go to Bordeaux as well.

Sophie

Vous logerez à l'hôtel ou vous
louerez quelque chose?

Are you going to stay in a hotel or are you
going to rent a place?

Sandra

Cette année, nous serons à l'hôtel.
Ce sera la première fois pour nous!
Je pourrai vraiment me reposer.
Et vous?

This year we are going to stay in a hotel
It's the first time for us!
I will be able to relax completely.
And you?

Bernard
Ce sera l'Italie!

We're going to Italy!

Pierre
Nous irons en Bretagne. Nous louerons un gîte rural pour la première fois. J'espère qu'il ne pleuvra pas!
De toute façon, je ne veux plus descendre dans le Midi. D'abord, il y a toujours des bouchons sur les autoroutes, et puis je ne supporte pas la chaleur! Je suis né en Normandie!

We're going to Brittany. We're renting a holiday home for the first time. I hope that it doesn't rain.
Anyway, I don't want to travel to the South of France. Firstly there's always traffic jams on the motorway, and I can't stand the heat!
I was bom in Normandy!

Narrateur
Un peu plus tard.

A bit later.

Sandra
J'ai passé une excellente soirée, mais je dois prendre congé, il est déjà une heure moins le quart!

I have had a wonderful evening, but I must take my leave, it's a quarter to one already!

Bernard
Mais vous n'allez pas rentrer à pied, Sandra, je vous raccompagne en voiture. Au revoir Sophie, au revoir Pierre!

But you can't walk back Sandra! I'll drive you back in the car. Goodbye Sophie, good bye Pierre!

Pierre
Vous partez quand en vacances, Bernard?

When are you going on holiday, Bernard?

Bernard
Demain !

Tomorrow!

Pierre
Alors, bonnes vacances et bon voyage!

Then have a good holiday and a good journey!

EXERCICES

Instructions: You will hear a question or a request which you should answer after the tone in the pause.
You will then hear the correct answer.
You can then compare your answer with the correct answer.

There is an example for each exercise.

04 Exercice 1

27

Answer the following questions.

E | **Example:**

Voix: *Qu'est-ce que Sandra apporte comme cadeau?*

Vous: *Elle apporte un bouquet de fleurs.*

Voix: *Elle apporte un bouquet de fleurs.*

Vous: *Elle apporte un bouquet de fleurs.*

 A vous — and now you:

1. Qu'est-ce que Sandra apporte   What does Sandra bring
    comme cadeau?   as a present?
    Elle apporte un bouquet de fleurs.

2. Qui accroche l'imperméable   Who hangs up Sandra's
    de Sandra?   raincoat?
    Bernard accroche l'imperméable de Sandra.

3. Sandra prend une wodka   Does Sandra have a vodka as
    comme apéritif?   an apéritif?
    Non, elle n'en prend pas. Elle prend un banyuls.

4. Les Reiter partiront quand   When are the Reiters going
    en vacances?   on holiday?
    Ils partiront en août.

5. Selon Michel, quel temps
   fait-il dans le Midi?
   Il fait trop chaud dans le Midi.

What is the weather like in the
south, according to Michel?

6. Sandra va rentrer dimanche
   en Allemagne?
   Non, elle va rentrer lundi matin.

Is Sandra returning on Sunday to
Germany?

7. Bernard raccompagne Sandra
   à son hôtel à pied?
   Non, il la raccompagne en voiture.

Does Bernard walk back to the
hotel with Sandra?

CD4 Exercice 2
TOP 28

Answer with the future tense:
Take over the role of Sandra and use "nous" whenever necessary.

 Example:

Voix: **Vous allez partir en vacances en mai?**

Vous: **Non, nous partirons en août.**

Voix: **Non, nous partirons en août.**

Vous: **Non, nous partirons en août.**

 A vous - and now you:

1. Vous allez partir en vacances
   em mai?
   Non, nous partirons en août.

Are you going on holiday in May'

2. Vous allez aller à la montagne
   ou au bord de la mer?
   Nous irons au bord de la mer.

Are you going to the mountains
or to the coast?

3. Vos filles vont passer leurs
   vacances avec vous et votre mari?
   **Non, elles passeront leurs vacances
   en Grèce et en Angleterre.**

Are your daughters spending their
holidays with you and your husband?

4. Pourquoi allez-vous vous arrêter
   en Normandie?

   **Nous nous arrêterons en Normandie
   parce que nous rendrons visite à un
   collègue de mon mari.**

   Why are you taking a break in
   Normandy?

5. Qu'est-ce que vous allez faire
   à Lacanau?

   **Nous ferons du vélo et mon
   mari fera aussi du surf.**

   What are they going to do in Lacanau?

6. Qu'est-ce que vous allez
   manger à Arcachon?

   Nous mangerons des huîtres.

   What are they going to eat in
   Arcachon?

7. Vous louerez un appartement?

   Non, nous logerons à l'hôtel.

   Will they rent an apartment?

)4 Exercice 3
29

Aks the following questions (with the use of the intonation question).

 Example:

Voix: **Oui, cette année, nous irons sur la Côte atlantique.**

Vous: **Vous irez cette année sur la Côte atlantique?**

Voix: **Vous irez cette année sur la Côte atlantique?**

Vous: **Vous irez cette année sur la Côte atlantique?**

A vous — and now you:

1. Oui, cette année, nous irons sur la Côte Atlantique.
Vous irez cette année sur la Côte atlantique?

Yes, this year we are going to the Atlantic coast.

2. Non, elles ne viendront pas avec nous.
Vos filles viendront avec vous?

No, they are not coming with us.

3. Non, nous ne le ferons pas d'une seule traite.
Vous ferez le voyage d'une seule traite?

No, we are not driving there in one go.

4. Parce que nous y rendrons visite à un ami de mon mari.
Pourquoi irez vous à Trouville?

Because we are visiting a friend of my husband's there.

5. Oui, nous les emporterons pour faire des promenades.
Vous emporterez vos vélos?

Yes, we will take them with us to go on trips.

6. Moi, je n'en ferai pas, mais mon mari en fera.
Vous ferez du surf?

I won't be doing it, but my husband will.

7. Oui, nous visiterons Arcachon.
Vous visiterez Arcachon?

Yes, we will visit Archachon.

8. Non, nous ne resterons pas chez des amis, mais à l'hôtel.
Vous resterez chez des amis?

No we won't be staying with friends, but in a hotel instead.

GRAMMAIRE

The Simple Future – Le futur simple

The *"futur simple"* (simple future) is used to emphasize the time difference between future actions and/or events from the present. There is a "further" than that of the "futur composé".

1. Forming the future
a. Verbs ending in -er

The future is formed by using the stem of the first person singular present arc adding the following endings:

Endings in the futur simple

	Singular	Plural
1. person	-rai	-rons
2. person	-ras	-rez
3. person	-ra	-ront

1. person singular present		futur simple
je regarde	je	**regarderai**
	tu	**regarderas**
	il/elle/on	**regardera**
	nous	**regarderons**
	vous	**regarderez**
	ils/elles	**regarderont**

Note well the peculiarities of verbs ending in **-er:**

acheter	j'ach**è**te	l buy
jet**er**	je je**tt**e	I throw
appel**er**	j'appe**ll**e	l call
pay**er**	je p**ai**e	I pay
envoy**er**	j'env**oi**e	I send

b. Verbs ending in -ir and -dre

The future is formed by adding the future endings to the infinitive form **without –r or -re.**

Infinitif	finir	comprendre	connaître
je	**finir**ai	**comprendr**ai	**connaîtr**ai
tu	**finir**as	**comprendr**as	**connaîtr**as
il/elle/on	**finir**a	**comprendr**a	**connaîtr**a
nous	**finir**ons	**comprendr**ons	**connaîtr**ons
vous	**finir**ez	**comprendr**ez	**connaîtr**ez
ils/elles	**finir**ont	**comprendr**ont	**connaîtr**ont

Here are some further irregular verbs:

	aller		être		avoir
j'	**irai**	je	**serai**	j'	**aurai**
tu	**iras**	tu	**seras**	tu	**auras**
il/elle/on	**ira**	il/elle/on	**sera**	il/elle/on	**aura**
nous	**irons**	nous	**serons**	nous	**asrons**
vous	**irez**	vous	**serez**	vous	**aurez**
ils/elles	**iront**	ils/elles	**seront**	ils/elles	**auront**

Other irregular verbs with **-r** in the infinitive form:

boire (drink)	je boi**r**ai
croire (believe)	je croi**r**ai
dire (say)	je di**r**ai
écrire (write)	j'écri**r**ai
faire (make)	je fe**r**ai
lire (read)	je li**r**ai
plaire (fallen)	je plai**r**ai
rire (laugh)	je ri**r**ai

Forms with -rr

courir (run)	je cou**rr**ai
envoyer (send)	j'enve**rr**ai
pouvoir (be able to)	je pou**rr**ai
voir (see)	je ve**rr**ai

Other irregular verbs:

devoir (must)	je de**vr**ai
recevoir (receive)	je rece**vr**ai
savoir (know)	je s**aur**ai
venir (come)	je v**iendr**ai
vouloir (want)	je v**oudr**ai

2. The Use of the *"futur simple"* and *"futur composé"*

In French the **"futur simple"** is used when one speaks about actions which lie n the future.
The **"futur composé"** is used when these intentions tie in the near future. The "futur composé" is often used in the spoken language, the "futur simple" is sed mostly in the written language.

Pendant les vacances d'été, j'**irai** en Italie.
During the summer holidays, l will go to Italy.
(Here the holiday which will occur within the next few months is being spoken about.)

Quand Sandra **sera** en Allemagne, elle **ira** faire des promenades dans la orêt.
When Sandra is back in Germany, she will go for walks in the woods. (Sandra is currently still in Paris, she is returning to Nuremberg in a fe days.)

Demain, je **vais aller** au cinéma avec mes amies.
Demain, je vais au cinéma avec mes amis.
Tomorrow l go with my friends to the cinema./ I'm going

FRANCE PRATIQUE

Presents at a private invitation

Flowers are always welcome. But please, never **"chrysanthèmes"**, as these flowers are always associated with All Saints' and death!
Leave the flowers in their wrapping.
"Chocolats fins" are acceptable as a present, a bottle of wine as a present is also good.

L'apéritif

When guests are present before the main course (déjeuner/dîner), an apéritif is drunk. Often the invitation is just for an apéritif: **"Venez prendre l'apéritif!"**, **"Amuse-gueule"** (snacks), **"canapés"** (canapés), **"noisettes"** (hazelnuts), **"cacahouètes"** (peanuts) and **"biscuits apéritif"** (apéritif bicuits) or **"petits fours salés"** (salted snacks) are also on hand.
The typical French apéritifs are:
"pastis"/ "ricard"/ "suze" with aniseed / "porto"/ "martini"/ "banyuls"/ "pineau des charentes" as "vin doux/cuit"/ "kir": white wine with "crème de cassis".

The French toast is   **"à ta / à vôtre santé!"**
                        "à la tienne / à la vôtre!" (Cheers!)

EXERCICE ÉCRIT

Put the dialogue into the right order. Begin with:

a) "Bonsoir, comme je suis heureuse de vous revoir!"

1. Comme chaque année, nous ferons notre petit tour de la France.
   Nous partirons du 24 juillet au 15 août.

2. Où est-ce qu'elle va partir en vacances?

3. Oui, les vacances scolaires n'ont pas encore commencé pour les enfants.

4. Bonsoir madame, moi aussi cela me fait plaisir de vous voir.
   Comment allez-vous?

5. Marc a 22 ans et Christophe 16 ans. Et votre fille a terminé ses études?

6. A la vôtre!

7. Nous louerons une maison; avec le chien, ce sera plus simple!

8. Nous descendrons jusqu'à Avignon; nous avons déjà réservé une location.

9. Ah, vous irez en Italie cette année?

b) Elle va aller chez des amis dans le sud de la France et après elle passera
   deux semaines en Italie avec nous.

c) Quel âge ont-ils? Ils sont grands maintenant?

d) Bien, merci, j'ai quelques petits problèmes de dos, mais ce n'est pas grave.
   Et votre famille, elle est restée en Allemagne?

e) Oui, ce sera la première fois pour nous. Et vous, avez-vous des projets
   de vacances?

f) Oui, elle a de la chance, elle a déjà trouvé un poste dans une entreprise
   textile. Elle commencera à travailler dans six semaines; elle va partir demain
   en vacances.

g) Vous louerez une maison ou un appartement?

h) Oh, vous allez avoir les bouchons des grands départs!
   Vous irez où en vacances?

i) Voilà mon mari qui arrive avec l'apéritif, eh bien, à la vôtre et
   bonnes vacances!

Solution : a/4 – d/3 – c/5 – f/2 – b/9 – e/1 – h/8 – g/7 – i/6

A

a bientot	see you soon
a cause de	because of
a cote	next to
a demain!	See you tomorrow!
a droite	right
a gauche	left
a la maison	at home
a mon avis	in my opinion
a Paris	in Paris
a partir de	departing from
a pied	on foot
a plein temps	full time
a point	medium
a propos	by the way
a qn	to somebody
a ta / votre sante!	cheers!
a tes / vos souhaits!	Bless you!
a tout a l'heure	see you later
a	in / to
absolument	absolutely
accompagner	to accompany
accrocher	to hang up
actuellement	at the moment
adorer	to like very much
agreable	agreeable
aider	to help, assist
aimer	to like
Aix-la-chapelle	Aachen
alle(e)	gone
allemand(e)	German
aller	to go
Allo?	Hello? (on the telephone)
alors	so then
amer / ere	bitter
americain(e)	American
anglais	English
annuel, annuelle	annual, annually
aout(m)	August

appeler	to ring up
apporter	to bring
arrive(e)	arrived
Asseyez-vous!	Please take a seat!
assis(e)	sitting
atlantique	Atlantic
attacher	to fasten one's seatbelt
au bout de	at the end
au revoir	good bye
aujourd'hui	tomorrow
ausculter	to examine
aussi … que	just … as
aussi	also
automatique	automatic
autre chose	something else
avaler	to swallow
avancer	to advance, drive forward
avant	in front
avantageux(se)	advantageous
avant-hier	the day before
avec	with
avoir besoin de	to need
avoir envie de	to feel like doing something.
avoir horreur de	to find something. terrible
avoir l'intention de	to have something. planned
avoir mauvaisemine	to look ill
avoir sur soi	to have something. at hand
avoir	to have

B

bas(se)	low
beau/belle	beautiful

bien sur	of course	celui	that one (male)
bien	good	cent	hundred
bientot	soon	certain(e)	certain
blanc / blanche	white	certainement	certainly
bleu (e)	blue	cette	this
bon(ne)	good	ceux	those(m)
bonjour	good day	changer	change
Bonne annee!	happy new year!	charge(e)	loaded
bonne journee!	good day!	chaud(e)	hot
bourguignon	from the Bourgogne	cher / chere	expensive
bu(e)	drunk	chercher	to look for
		chez	at
		choisi(e)	chosen
C		choisir	to choose
C'est a qui le tour?	Who's speaking?	cinq	five
C'est ca!	that's right!	cinquante	fifty
C'est de la part	who is it	cinquante-cinq	fifty-five
C'est en supplement.	that's extra	clair(e)	bright, clear
C'est moi.	it's me	commander	to order
c'est vrai	that's true	comme	how
c'est	it's	commencer	to start
c'etait	it was	Comment allez-vous?	How do you do?
ca a l'air	it seems to be	Comment ca va?	How are you?
ca depend!	that depends!	comment	what
Ca marche comment?	How does it work?	comparer	to compare
Ca me fait plaisir!	that's good!	complet / -ete	completed
ca va	okay	completement	completely
Ca vaut la peine!	It's worth it!	complique(e)	complicated
Ca vous convient?	Does that suit you?	composter	to stamp (a ticket)
ca	it	comprendre	to understand
cadet(te)	young	compris	understood
calme	calm	comprises	tax included
car	because	conduire	to drive
Ce n'est pas donne!	that's not cheap!	confirmer	to confirm
Ce n'est pas la peine.	that's not necessary.	connaitre	to know
ce que	that	conseiller	to recommend
ce	this	consulter	to look up
celibataire	single	continue (e)	continued
celle	that one (female)	continuer	to continue
celles	those (f)	contre	against

271

convenir	to be pleasing
correct	correct
couter	to cost effort
croire	to believe
cuisiner	to cook
cuit (e)	cooked, well done

D

d'abord	first
d'accord	alright
d'apres moi	according to me / in my opinion
d'ici	from here
d'une traite	nonstop
dans	in
de bonne heure	early
de la part de	from
de qui?	from who?
de rien!	There you are / don't mention it
de toute facon	at any rate/ anyway
de veau	veal
de	of
debout	standing
decembre	December
decouvorir	to discover
dedans	inside
deguster	to taste
deja	already
dejeune(e)	to have lunch
delicieux / se	delicious
demain	tomorrow
demander	to ask
demi(e)	half
dependre de	to be dependent upon
depenser	to dispense (cash)
deplacer	to move something
deposer	to remove
depuis	since

deranger	to disturb
dernier /-iere	last, behind
descendre	to descend, get out of
desirer	to wish
detester	to hate
deux	two
deuxieme	second
devant	in front
devoir	must
difficile	difficult
diner	to have dinner
dire	to say
direct (e)	direct
directement	directly
discute(e)	discussed
discuter	to discuss
dix	ten
dommage!	What a shame!
donc	then
donne(e)	given
donner un coup de fil a qn	to give sbdy. a ring
dormir	to sleep
doux / ce	sweet
droit (e)	straight
du (e)	owed
durer	to last

E

ecreme (e)	skimmed
ecrire	to write
efficace	effective
egalement	also
elegant (e)	elegant
elle fait	she does
elle	she
elles	they (pl;f)
emballer	to wrap
emporter	to take with

en (cuir / soie ...)	made from (leather, silk ...)
en ete	in the summer
en fin de	at the end of
en general	in general
en hiver	in the winter
en pensez?	what about?
en plus	Additionally/anyway
en premiere	in the first class
en principe	in principle
en quoi?	out of what/ what ... of ?
en seconde	in the second class
en semaine	during the week
en	in
enchate(e)	delighted
encore	still
en-dessous	underneath
enerver	to get on the nerves
enlever	to take away, remove
enrhume(e)	to have a cold
ensemble	together
ensuite	afterwards
entende(e)	understood
entre	between
envion	about
envoyer	to send
epeller	to spell
esperer	to hope
essayage (m)	attempt, try something on
essayer	to try something on, to attempt
et	and
eteindre	to switch off
eternuer	to sneeze
etre en deplacement	to be on a trip / journey
etre ne(e)	to be born
etre	to be

eu(e)	had
europeen(ne)	European
exactement	exactly
exagerer	exagerrated
examiner	to test
excellent(e)	excellent
excusez-moi	Sorry, pardon me
expliquer	to explain

F

facile	simple
faible	weak
faire attention	to pay attention
faire de la patisserie	to bake
faire des folies	here: to spend too much money
faire fu 42	to take a size 42
faire du cheval	to ride
faire la connaissance de	to meet, to be introduced
faire les magasins	to do the shopping
faire	to make, to do
fair(e)	done
falloir	to have to
fatigue(e)	tired
favori	favourite ...
ferie(e)	frozen
feuilleter	to leave through
fevrier	February
figurer (sur la liste)	to be written (on a list)
fixer un rendez-vous	to make an appointment
flotter	flutter
foncer	to drive or walk quickly
fort(e)	strong
froid(e)	cold
fumeur	smoker

G

garder	to look after, protect
garer	to park
gazeux / se	with carbonation
general (e)	general
gouter	to try
grace a	thanks to
grand (e)	large
gras (se)	fatty
gratuit(e)	free
grave	bad
grignoter	to nibble
grille(e)	grilled
gris(e)	grey
guide(e)	guided

H

habiter	to live
hesiter	to hesitate
heureusement	fortunately
hier	yesterday
huit	eight
huitieme	eighth

I

ici	here
ideal(e)	ideal
il fait froid	it's cold
il fout	you have to
il ne fallait pas	it was not important
Il parait que … .	it appears that …
il vaut mieux	it's better
il	he / it
il /elle a	he / she has
il/elle est	he / she is
il/elle va	he/ she goes
ils/ elles ont	they have
ils/ elles sont	they are
immediatement	immediately
important (e)	important

interessant (e)	interesting
invite(e)	invited
italien(ne)	Italian

J

j'habite	I live
j'ai	I have
j'aimerais	I would like
jamais	never
janvier	January
je comprends	I understand
je connais	I know
je crois	I think
je dois	I must
je m'appelle	I am called
je parle	I speak
je peux	I can
je prends	I take
je sais	I know
je suis desole (e)	I am sorry
je suis	I am
je vais	I go
je viens	I come
je vois	I see
je voudrais	I would like
Je vous en prie!	There you are!
Je vous passe la communication.	I will connect you.
Je vous remercie!	Thank you!
je	I
jeter un coup d'oe il	to throw a glance at
jeter	to throw
jeune	young
joli(e)	pretty
jouer	to play
journee, la	day
juillet	July
juin	June
jusqu'a	until
juste	spot on, just about

L

l'abonnement (m)	abonnement, subscription	l'arrondissement(m)	district, quarter
		l'ascenseur (m)	lift
l'abricot (m)	apricot	l'Ascension(f)	Ascension (day)
l'accord (m)	unity	l'aspirone (f)	aspirin
l'acteur (m)	actor	l'Assomption (f)	Assumption
l'actruce (f)	actress	l'assurance (f)	insurance
l'adjoint (m)	bill	l'attention(f)	attention
l'addjoint (m)	representative, voice	l'autobus (m)	bus
		l'automobiliste (m)	car driver
l'adresse (f)	address	l'autoroute (f)	motoway
l'aeroport (m.)	airport	l'avenue (f)	avenue / fine street
l'age(m)	age	l'avion(m)	aeroplane
l'agence bancaire(f)	bank branch	l'avocat (m)	avocado
l'agenda(m)	agenda,appointment calendar	l'eau (f)	water
		l'eau gazeuse (f)	sparkling water
l'air(m)	look, appearance	l'eau plate (f)	still mineral water
l'aire de repos (f)	service station, lay by	l'eau-de-vie (f)	spirits
		l'ecole (f)	school
l'Allemagne (f)	Germany	l'ecole primaire (f)	primary school
l'aller (m)	journey to	l'embouteillage (m)	traffic jam
l'allergie (f)	allergy	l'employe (e) (m/f)	employee
l'aller-retour (m)	return trip	l'enfant (m/f)	child
l'amie(f)	female friend, girlfriend	l'enseignement (m)	lessons, teaching
		l'entrecote (f)	rib cut
l'amuse-gueule (m)	hors d'oe uvre	l'entrée (f)	starter
l'an (m)	year	l'entretien (m)	care
l'ananas (m)	pineapple	l'envie (f)	envy, urge
l'Angleterre (f)	England	l'epicerie (f)	greengrocers, foodstore
l'annee (f)	year (current year)		
l'anniversaire (m)	birthday	l'epicier (m)	greengrocer, shop assistant
l'ANPE(f)	Job centre		
l'antibiotique (m)	antibiotic	l'epiciere (f)	female greengrocer, shop assistant
l'aperitif (m)	aperitif		
l'appareil (m)	telephone	l'Epiphanie (f)	Epiphany
l'appartement (m)	flat	l'equitation (f)	riding
l'apres-midi (m)	afternoon	l'equivalent (m)	equivalent
l'apres-midi (m)	ceasefire	l'escalier (m)	stairs
l'arret (m)	(bus) stop	l'escargot (m)	snail
l'arrivee (f)	arrival		

l'essence (f)	petrol	l'omelette (f)	omelette
l'essence sans plomb (f)	unleaded petrol	l'omelette aux champignons (f)	mushroom omelette
l'est (m)	Easter	l'opera (m)	opera
l'estomac (m)	stomach	l'orange(f)	orange
l'etage (m)	floor, storey	l'orchestre (m)	orchestra
l'ete(m)	summer	l'ordonnance(f)	prescription
l'etiquette (f)	price tag	l'ouverture (f)	opening
l'etoile (f)	star	l'unite (f)	unity
l'etudiante (t)	female student	l'usine (f)	factory
l'eurocheque (m)	Eurocheque	la bague	ring
l'excursion(f)	trip, excursion	la baguette	baguette
l'explication (f)	explanation	la balade	walk
l'exposition(f)	exhibition	la banque	vank
l'heure (f)	hour	la barriere	barrier
l'hiver (m)	winter	la basse saison	off season. low season
l'hopital (m)	hospital	la Baviere	Bavaria
l'horreur (f)	dislike	la bienvenue	welcome
l'hotel (m)	hotel	la biere	beer
l'hotel de wille (m)	town hall	la billetterie	ticket machine
l'huile (f)	oil	la boisson	drink
l'huitre (f)	oyster	la boite	packet
l'hypermarche (m)	large super-market	la bouche	mouth
l'idee (f)	idea	la boucherie	butcher's
l'identite (f)	identity	la boulangere	(female) baker
l'impermeable (m)	raincoat	la boukangerie	bakery
l'impression (f)	impression	la bouteille	bottle
l'indication (f)	indication	la boutique	shop
l'infection (f)	infection	la bronche	bronchi
l'informaton (f)	information	la cabine d'essayage	changing room
l'informatique(m)	computer science	la cabine telephonique	telephone box
l'instant (m)	moment	la cacahouete	peanut
l'institutrice (f)	(female)primary school teacher	la caisse	ticket office
l'instrument (m)	instrument	la caissiere	(woman) ticket office worker
l'intention (f)	intention	la capitale	capital
l'ltalie (f)	Italy	la carte d'identite	identity card
l'oeil (m)	eye	la carte postale	postcard
l'office de tourisme(m)	tourist office		
l'olive (f)	olive		

la carte telephonique	telephone card	la dame	woman
la carte	menu, map	la demi-heure	half an hour
la cathedrale	cathedral	la demi-pension	half board
la cause	cause	la dent	tooth
la cave	cellar	la discussion	discussion
la ceinture	seatbelt	la dizaine	about ten
la cerise	cherry	la douche	shower
la chaine	chain	la faim	hunger
la chaleur	heat	la famille	the family
la chambre d'hotel	hetel room	la femme	woman
la chambre	(bed) room	la fenetre	window
la chance	luck	la fermeture	zip
la Chandeleur	Candlemass	la fete	party, festival
la charcuterie	butcher's	la feuille de soins	doctor's bill
la chaussee deformee	uneven road suface	la feuille	leaf
la chaussee glissante	danger of skidding	la feve	hidden figure in the "galette des rois"
la chaussette	sock	la fishe	sheet of paper
la chaussure	shoe	la fievre	fever
la chemise	shirt	la fille	girl
la chose	thing	la fin	end
la ciboulette	chives	la fleur	flower
la cle	key	la fois	time
la cloche	bell	la folie	madness
la collection	collection(clothes)	la foret	wood
la collection	collection	la fraise	strawberry
la commission	provision	la framboise	raspberry
la commnication	connection	la France	France
la conference	conference	la galette des rois	pastry for the 6 January
la confiance	trust		
la confiture	jam	la gre routiere	bus station
la connaissance	acquaintance	la gare SNCF	railway staiton
la correspondance	correspondence train/ bus connection	;a gendarmerie	gendarmery
		la gentillesse	friendliness
la cote	coast	la glace	ice cream, mirror
la coupe	cut		
la coupure	banknote	la gorge	throat
la courbature	aching limbs	lagrand-mere	grandmother
la creche	nursery	la Grece	Greece
la crème	cream	la grillade	grilled dish

la griotte	sour cherry	la Pentacote	Pentecost
la grippe	'flu	la personne	person
la guitare	guitar	la pharmacien(ne)	chemist
la journee	day	la photo	photo
la jupe	skirt	la piece	coin
la laitue	lettuce	la piscine	swimming pool
la lampe	lamp	la place	square
la langue	tongue	la planche a voile	surfboard
la lecon	lesson	la planche	board
la lettre recommandee	registered mail	la pointure	shoe size
la lettre	letter	la poire	pear
la ligne	line	la poissonnerie	fish shop
la liste	list		fishmongers
la livre	pound	la police	police
la main	hand	la pomme	apple
la mairie	town hall	la pompe	pump
la maison	at home	la porte	door
la manche	sleeve	la poste centrale	main post office
la manifestation	demonstraiton	la poste	the post
la maternelle	nursery school	la poule	chicken
la marinee	morning	la pression	pressure,
la medecine	medicien		draught beer
la meme	the same	la priorite	right of way
la mer	sea	la promenade	walk
la mine	looks, appearance	la province	province
la minute	minute	la question	question
la monnaie	loose change	la quiche	quiche
la musique	music	la recherche	research
la noisette	(hazel) nut	la reduction	reduction,
la note	bill		concession
la nourrice	nurse, nanny	la region	area, region
la paire	pair	la rentree	start of school
la pantoufle	slipper		or work after holiday
la passion	passion	la retraite	pension
la pastille	lozenge	la reunion	meeting
la pate	dough	la robe	dress
la patisserie	pastries, cakes	la route	street
la pause	pause	la rue	road
la peine	effort	la saison	season
la pension complete	full board		

la salade	salad	la veste	jacket
la salle de bains	bathroom	la ville	town
la salle	hall	la visite guidée	guided tour
la santé	health	la visite	visit
la sauce	sauce	la vitrine	shop window
la séance	film showing	la voie	platform
la seconde	second class	la voile	sail
la secrétaire	secretary	la voisine	neighbour
la semaine	week	la voiture	car
la société	company	la Voice	voice
la sœur	sister	la wodka	vodka
la soie	silk	là	there
la soirée	evening	la	the
la spécialité	speciality	là-bas	there (below)
la station	station	laisser un message	to leave a message
la station-service	garage, service station	laisser	to leave
		laitier/ière	milk, dairy
la statue	sculpture	le bal	ball
la succursale	branch (of bank, etc.)	le ballet	ballet
la supérette	smaller supermarket	le banlieusard	suburban resident
la table	table	le banyuls	apèritif
la tablette du chocolat	bar of cohocolate	le bar	bar, counter
		le bateau-mouche	pleasure cruiser on the Seine
la taille	size		
la tarte	cake	le bâtiment	building
la tarte aux paomme	apple pie	le besoin	need, necessity
la tartelette	tart	le bijou fantaisie	fashion jewellery
la télé(vision)	television	le bijou	jewellery
la température	temperature	le billet	banknote, ticket
la tension	blood pressure	le boeuf	beef
la tête	head	le bouchon	traffic jam
la tomate	tomato	le boulanger	baker
la Toussaint	All Saints	le boulot	work
la toux	cough	le bouquet	bouquet
la traite	nonstop journey	le bouquin	book
la tranche	slice	le bourgogne	Burgundy (wine)
la TVA(taxe sur la valeur ajoutée)	VAT	le bout	End
		le bracelet	bracelet
la vanille	vanilla	le brin de muguet	lilly of the valley
la vendeuse	shop assistant		

le bruit	noise	le coq	cock
le bus	bus	le couloir	corridor
le cabinet médical	doctor's surgery	le coup d'oeil	glance
le cachet	tray	le coup de fil	telepohone call
la cadeau	present	le courage	courage
le café	cafè	le courant	the current month
le canard	duck	le court	(tennis) court
le carnet	address book	le couteau	knife
d'addresses	book of travel	le cuir	leather
le carnet	tickets	le début	start, beginning
le carrefour	crossing	le décaféiné	decaffeinated coffee
le carton	shoe carton	le déjeuner	lunch
le centime	Centime	le demi-litre	half a litre
le centre	centre	le dentiste	dentist
le centre-ville	town centre	le départ	departutre
le change	change	le déplacement	transfer, trip
le chat	cat	le dépliant	leaflet
le chausson	slippers	le dessert	dessert
le chemin	path	le digestif	digestif
le chmisier	blouse	le directeur	director
le chèque	cheque	le distributeur de	cash dispenser
le cheval	horse	billets	
le chien	dog	le docteur	doctor
le chocolat	chocolate	le dos	back
le choix	choice	le droit	law
le chômage	unemplyment	le festival	festival
le cinéma	cinema	le feu d'artifice	firework
le citron	lemon	le feu	traffic light
le cœur	heart	le feuillet	leaf
le coin	corner	le fil	thread
le collaborateur	work colleague	le fils	son
le collège	comprehensive	le flacon	snmall bottle
le commissariat de	school	le foie gras	pate de foie gras
police	police station	le foie	liver
le compartiment	department	le find	bottom
le comptoir	bar, counter	le football	football
le concert	concert	le franc	franc
le congé	holiday	le fromage	cheese
le congé maladie	sick holiday	le fruit	fruit
le congrès	congress	le garage	garage
le contrôle	control	le garçon	boy, waiter

le gillet	waistcoat	le Mardi	Tuesday
le gîte	holiday home	le mari	husband
le glaçon	ice cube	le martini	Martini
le gramme	gramme	le médecin	doctor
le gruyère	Swiss cheese, Gruyère	le menu du jour	daily menu
		le menu	menu
le guichet	switch	le message	news
le guide	travel guide	le mètre	metre
le hasard,	chance conicidence	le métro	the Underground
le hors-d'œuvre	starter	le milieu	middle
le hortensia	hortensia	le million	million
le jambon	ham	le minitel	Btx machine
le jardin	garden	le modèle	model
le jazz	jazz	le mois	month
le jour férié	bank holiday	le moment	moment
le jour	day	le monde	world
le journal	newspaper	le mot	word
le jus	juice	le muguet	lillies of the valley
le kilo	kilo	le musée	museum
le kilomètre	kilometre	le nom	name
le lait écrémé	skimmed milk	le nord	the north
le lait	milk	le numéro	number
le lavabo	washbasin	le palais	palace
le légume	vegetables	le panneau	sign
le lendemain	on the next day, the next day	le patalon	trousers
		le papier	paper
le liquide	cash	le paquet cadeau	present
le litre	litre	le paquet	parcel, packet
le livre	book	le paradis	paradise
le Lundi	Monday	le pare-brise	windscreen
le luxe	luxury	le parfum	perfume
le lycée	grammar school	le parking	carpark
le magasin	shop	le particulier	individual, private citizen
le magazine	newspaper		
le magret de canard	breast of duck	le passage protégé	right of way
le mal	pain	le passe-temps	passing the time
le manteau	coat	le pâté	paté, pie
le marchand de légumes	greengrocer	le péage	toll
		le pére	father
le mardi gras	Carnival Tuesday, mardi gras	le périphérique	bypass (motorway)

le pernod	apéritif with aniseed	le restaurant	restaurant
le petit déjeuner	breakfast	le restaurateur	reastaurant owner
le petit four	petitfour	le retard	delay
le petit noir	small cup of black coffee	le retour	retrurn (trip)
		le réveil	alarm clock
le piano	piano	le rhume	runny nose
le pied	foot	le sac	bag
le plaisir	joy	le sachet	small bag
le plan	plan	le salon de thé	café, tea room
le plat principal	main course	le salon	living room
le plat	choice of dishes	le SAMU	ambulance
le plateau de fromages	cheese plate	le sandwich au jambon	ham sandwich
le plein	to fill the tank up		
le plomb	lead	le sandwich	sandwich
le plombage	filling	le saumon	salmon
le pneu	tyre	le séjour	stay
le poisson	fish	le serveur	waiter
le pompiste	petrol attendant	le servis compris	service included
le portefeuille	wallet	le sirop	fruit squash
le porto	port wine	le site	site, area
le pot de confiture	jam jar	le ski	skiing
le pourboire	tip	le soir	evening
le prix	price	le soleil	the sun
le problème	problem	le sorbet	sorbet
le produit	product	le soufflé	soufflé
le projet	project	le souhait	wish
le pull-over	pullover	le sport	sport
le pyjama	pyjamas	le sud	the south
le quai	train platform	le stylo	biro, ballpoint pen
le quart	district, quarter	le super	four star petrol
le radar	radar	le supplément	supplement,
le rang	row	le surf	surcharge
le rappel	memory	le symposium	surfing
le rayon	department	le syndicat	symposium
le reçu	receipt	d'initiative	tourist office
le rendez-vous	appointment, Rendezvous	le système	system
		le tableau de bord	dashboard
le répondeur	answering machine	le tarif	cost, fare
le RER	local train system	le taxi	taxi
le réservoir	petrol tank	le téléphone	telephone

le temps	time, weather	léger/ère	easy
le tennis	tennis	lentement	slowly
le terrain	terrain	les bagagaes	luggage
le TGV (train à	French high-speed	les collants (m pl)	stockings
grande vitesse)	train	les courses (f pl)	shoppping
le thé	tea	les environs (m pl)	diversion
le théâtre	theatre	les gravillons (m pl)	loose gravel
le ticket	ticket	les loisirs (m pl)	free time,leisure
le timbre	stamp	les pâtes (f pl)	pasta
le tour	round trip, walk	les pompiers (m pl)	fire brigade
le tourismex	round trip, walk	les soin (m pl)	care
le train	train	les toilettes (f pl)	toilets
le travail	work	les travaux (f pl)	construction/
le vase	vase		building works
le veau	calf	les vacances (f pl)	holiday
le vélo tout terrain	mountain bike	les yeux (m pl)	eyes
(V.T.T.)		leur	their (pl)
le vélo	bicycle, bike	levé(e)	to be up
le vendeur	shop assistant	libre	free
le vndredi saint	Good Friday	lire	read
le Vendredi	Friday	loger	to live
le vent	wind	loin	far
le ventre	stomach	long(ue)	long
le vernis	patent leather	louer	to rent
le vêtemenet	article of clothing	lui	him/her
le vin	wine	lumineux/se	light
le voisin	neighbour		
le voyage	trip journey	**M**	
le voyant	warning light	ma	mine
le week-end	weekend	madame	Mrs
le whisky	whisky	mademoiselle	Miss, Ms.
le yaourt	yoghurt	magnifique	wonderful
le thé	tea	mai	May
le/la camarade	(female) friend	maintenant	now
le/la collègue	colleague	mais	but
le/la Noël	Christmas	mal	bad
le/la réceptionniste	receptionist	malheureusement	unfortunately
le/la septième	seventh	mangé(e)	eaten
le/la standardiste	receptionist	manger	to eat
		marcher	to walk, to run

marié(e)	married	nettoyer	to clean
mars	March	neuf	nine
mauvais(e)	bad	noir(e)	black
me	me (no emphasis)	nombreux(se)	numerous
médical(e)	medical	non	no
meilleur(e)	better	normalement	normally
merci bien	thank you	nos	our (pl)
merci	thanks	noter	to note
mes	mine	notre	our (sg)
mesdames	ladies	nous avons	we have
mettre … minutes	to take.. minutes	nouveau/nouvelle	new
mieux	better	novembre	November
mille	thousand		
mis(e)	used, secondhand		
moi aussi	me too		

O

obligatoirement	inevitably
occupé(e)	occupied, Engaged
octobre (m)	October
offri	to give a present to
On s'occupe de vous?	Are you being served?
on	one/we
ordinaire	normal
ou	or
où	where
oublier	to forget
oui	yes
ouvert(e)	open

moi non plus	nor me
moi	I/me (emphasis)
moins .. que	less, fewer than
moins	less, fewer
mon	my
monsieur	Mr.
monter	to go up, to climb
mort(e)	dead
mourir	to die
Munich	Munich
municipal(e)	of the town/city
mûr(e)	ripe, mature

N

nager	to swim
naître	to be born
naturellement	of course, naturally
ne … jamais	never
ne… pas	not
ne … personne	nobody
ne … que	only
ne …. rien	nothing
ne … toujours pas	still not
nécessaire	necessary

P

pâle	pale
par example	for example
par hasard	random
par	through
paraître	to appear to be
pardon	pardon, sorry
parfait(e)	perfect
parler	to speak
parti(e)	departed

participerto	attend, take part in	préférer	to prefer
particulier/ière	particular	premier	the first
partir	to depart	première	first
pas de quoi!	You're welcome	prendre froid	to catch a cold
pas du tout	definitely not	prendre	to take
pas mal	not bad	préparer	to prepare
passe prendre qc	to pick sthg. up	près de	near to
passer un film	to show a film	près	near
passer une personne	to put somebody. Through, to connect	présenter	to introduce, to Present
passer	to go past	presquex	nearly
patienter	to be patient	prêt(e)	ready
payant(e)	subject to a fee	prévu(e)	planned
pendant	during	prier	to ask
penser	to think	primaire	basis...
petit(e)	small	pris(e)	taken
peu de	a little, few	prochain(e)	next
peut-être	perhaps	prolonger	to drive on
plaire	fallen	proposer	to offer
plaît	like	prudemment	carefully
plein de	full	pu(e)	known
plu(e)	rained	puis	then
plus ... que	more ... than	puis-je...	may I...?
plus	more		
plusieurs	several		
plutôt	rather	**Q**	
ponctuellement	punctual	qu'est-ce que	what
porter	to wear	quand même	in spite of
possible	possible	quarante	forty
poste restante	poste restante	quatorze	fourteen
pour	for	quatre	four
pourquoi pas	why not	quel	which
pourquoi	why	qulequ'un	somebody
pourriez-vous...?	Could you...?	quelque chose	something
pouvoir	can / to be able to	qulequefois	sometimes
pratique	practical	quleques	some
précédent(e)	preceding	Qui est à l'appareil?	Who's speaking?
		qui	who (relative pronoun)

quitter	to leave	routier / iere	road
quoi	what	rural (e)	rural

R

raccompagner	to accompany back
raconter	to tell
ralentir	to drive more slowly
ramener	to bring back
rapide	fast
rappeler	to call back
rarement	seldom
rater	to miss
reduit (e)	reduced
reflechir	to think about
regarde (e)	seen
regarder	to look at
regler la note	to pay the bill
regretter	to regret
relever	tp lift up
remarquer	to ascertain
remercier	to thank
remettre	to put back on
remplir	to fill out
rencontrer	to meet
rendre visite a	to visit somebody
rentrer	to come back
repeter	to repeat
reserve (e)	reserved
reserver	to reserve
respirer	to breathe
rester	to stay
retirer de l'argent	to withdraw money
retrouver	to meet
reussir	to succeed
reveiller	to wake up
revenir	to return
rien	nothing
rond(e)	round
rouler	to drive

S

(s') endormir	to fall asleep
(s') ennuyer	to be bored
(s') entrainer	to train
(s') inquieter	to be worried about
(s') occuper	to deal with
(se) debrouiller	to get by in
(se) rendre	to turn around
s'appeler	to be called
s'appeler	to be called
s'ecrire	to be spelt
s'habiller	to get dressed
s'il vous plait	please
s'occuper de qn / qc	to keep busy with
sa	his / hers
saignant (e)	bloody
sale	dirty
sale (e)	salty, savoury
Salut!	Hello! / Bye!
sans	without
sauf	apart from, except
sauter	to jump
scolaire	of the school, scholastic
se depecher	to hurry
se detendre	to relax
se lever	to get up, to raise oneself
se regaler	to enjoy
se reposer	to rest
se sentir	to feel
se trouver	to find oneself
se	itself
selon moi	in my opinion
sept	seven
septembre	September

serre(e)	narrow, tight	termine (e)	finished
servir	to serve	terminer	to finish
seulement	only	tomber	to fall
si	if, whether	tot	early
signer	to sign	toucher	to cash in
similaire	similar	toujours	always
simple	simple	touristique	touristic
sinon	otherwise	tourner	to turn
soi	oneself	tous	all
soixante	sixty	tousser	to cough
solde (e)	to be on offer, reduced	tout de suite	immediately
		tout droit	straight on
sonner	to ring	tout le monde	everybody
sortir	to leave	tout rond	exactly
souhaiter	to wish	tout	all
sous la main	at hand	toutes taxes	all inclusive
sous	under	travaille (e)	worked
souvent	often	travailler	to work
sportif / sportive	sporty	traverser	to cross over
sucer	to melt in the mouth, suck	tres	very
		trinquer	to toast
sucre (e)	sweet	trois	three
suggerer	to suggest	trop	too much, too many
suivant	following	trouver	to find oneself
suivre	to follow	tu es	you are
supporter	to get on with	tu presentes	you introduce
		tu	you
supposer	to suppose		
sur	on		
sur (e)	safe, sure	**U**	
surtout	especially		
		un instant	a moment
		un peu de	a little
		un	a, an
T		une	a, an
tard	late	utiliser	to use
telephoner	to telephone		
telephonique	telephone - ...	**V**	
tellement	so		
Tenez!	Look at that!	va	goes
tenter	to entice	valable	valid
		valoir	to be worth
		venir	to come

verifier	to verify	vous faites	You make
vers	towards, at about (direction,time)	vous habitez	You live
		vous parlez	You speak
vert(e)	green	vous pouvez	You can
Veuillez …	would you please …	vous prenez	You name
vide	empty	vous travaillez	You work
vieux / vieille	old	vous voulez	You want
vingt – cinq	twenty –five	vous ous appelez	You are called
vingt – quatre	twenty – four	vous	you
visiter	to visit	voyager	to travel
vite	fast	vrai(e)	right, correct
voici …	here is …	vraiment	really
voila … .	there it is …, here it is …	vu (e)	saw
voir	to see		
volontiers	gladly	**Y**	
vos	your (pl)	y	there
votre	your		
vouloir	tp want ,.wish	**Z**	
vous allez	You go		
vous avez	You have	Zut!	damn!
vous connaissez	You know		